SNOOPY ET SES AMIS

#4

Charles M. Schulz

PRESSES AVENTURE

Peanuts © 2003 by United Feature Syndicate, Inc.
www.snoopy.com
Paru sous le titre original de : Peanuts 2000

Publié par Presses Aventure, une division de
Les Publications Modus Vivendi inc.
5150, boul. Saint-Laurent, 2ᵉ étage
Montréal (Québec)
Canada
H2T 1R8

Infographie : Modus Vivendi
Traduction : Jean-Robert Saucyer
Révision des textes : Jeanne Lacroix

Dépôt légal : 3ᵉ trimestre 2003
Bibliothèque nationale du Québec
Bibliothèque nationale du Canada

ISBN : 2-89543-117-5

Nous reconnaissons l'aide financière du gouvernement du Canada par l'entremise du Programme d'aide au développement de l'industrie de l'édition (PADIÉ) pour nos activités d'édition.
Gouvernement du Québec — Programme de crédit d'impôt pour l'édition de livres — Gestion SODEC

Snoopy et ses amis

PRESSES AVENTURE

SOUVIENS-TOI : SI NOUS CROISONS QUELQU'UN EN CHEMIN, DIS-LUI «BONNE ANNÉE».

SI JE LUI DIS «BONNE ANNÉE», M'OFFRIRA-T-IL UN VÉLO ?

NON. IL NE T'OFFRIRA RIEN.

RENTRONS À LA MAISON.

J'AI DÉCIDÉ DE RÉUNIR UN TAS DE ROCHES AFIN DE BÂTIR UNE MAISON BIEN SOLIDE.

IL FAUT TOUJOURS COM-MENCER PAR LA CHAMBRE À COUCHER.

Par SCHULZ

2-6

ON DEVRAIT TOUJOURS VEILLER À LA PROPRETÉ D'UNE BOÎTE À LETTRES, AU CAS OÙ ON RECEVRAIT UNE LETTRE D'AMOUR.

NE VAS-TU PAS CHER-CHER LE COURRIER?

PAS LORSQU'IL PLEUT.

LORSQU'IL PLEUT, ON NE REÇOIT QUE DES LETTRES DE RUPTURE ET D'ADIEU.

TU SEMBLES EN CON-NAÎTRE LONG SUR LES LETTRES D'AMOUR.

SI J'EN RECEVAIS UNE, J'IGNORE COMMENT JE RÉAGIRAIS.

6

«À quoi songent les chiens ?», s'interrogea-t-elle.

«Un jour, songea le chien, quelqu'un laissera le portail ouvert et je m'enfuirai à la vitesse de l'éclair.»

«J'imagine, dit-elle, qu'ils ne songent qu'à bouffer.»

«Ne t'attarde pas trop près du portail», ricana le chien.

1-7

ZUT ! J'AI CRU QUE L'ON DISTRIBUAIT GRATUITEMENT DES BALLONS DE SOCCER.

1-8

1-9

TU DEVRAIS ME PAYER UN LOYER PUISQUE NOUS PARTAGEONS MA COUVERTURE.

LES CHIENS NE PAIENT PAS DE LOYER, ILS SURVEILLENT LA MAISON.

J'ADMETS VOLONTIERS QUE CE PARTAGE FAIT NAÎTRE UN MERVEILLEUX SENTIMENT...

UN MERVEILLEUX SENTIMENT QUI NAÎT DE CE QUE LA MAISON SOIT BIEN SURVEILLÉE.

WOUF !

7

AUJOURD'HUI, NOUS SOMMES CENSÉS PEINDRE DES FLEURS.

JE NE PEINS PAS DE FLEURS, MAIS DES SCÈNES UNDERGROUND.

VOICI BILLIE JEAN KING ET LE CANARD DAFFY QUI BALANCENT LONG JOHN SILVER HORS D'UN VAISSEAU PIRATE.

J'AI DE GRANDS PROJETS POUR MES ŒUVRES.

OUI MADAME, IL Y AURA UN TIRAGE LIMITÉ D'ESTAMPES NUMÉROTÉES...

CHAQUE ESTAMPE SERA ACCOMPAGNÉE D'UN CERTIFICAT D'AUTHENTICITÉ.

1-30

OUI MADAME, JE COMPRENDS.

QU'A-T-ELLE DIT ?

QU'AUJOURD'HUI, NOUS PEIGNONS DES FLEURS.

SALUT CHUCK ! IL Y A LONGTEMPS QUE TU M'AS TÉLÉPHONÉ.

J'ENTENDS MAL. JE SUIS DANS MA BAGNOLE LE LONG DE LA CÔTE AMALFITAINE EN ITALIE ET J'AI PEINE À VOUS ENTENDRE. ME RECEVEZ-VOUS ? QUI EST À L'APPAREIL ?

TU ES TARÉ À 90 POUR CENT, CHUCK.

VITE MARCIE ! ELLE S'ADRESSE À MOI ! QUELLE EST LA RÉPONSE ? VITE ! VITE ! VITE !

OUI MADAME. LAISSEZ-MOI Y RÉFLÉCHIR. C'EST L'UN DE CES PROBLÈMES QUI DEMANDENT UNE MÛRE RÉFLEXION.

SEIZE.

SEIZE.

T'AVAIS PROMIS DE M'AIDER À FAIRE MES DEVOIRS LE RESTE DE NOS VIES.

QUAND AI-JE PROMIS CELA ?

EN CE MOMENT MÊME.

VOILÀ ! NOUS AVONS TERMINÉ TOUS TES DEVOIRS.

JE L'APPRÉCIE, FRÉROT.

BIEN. J'EN SUIS HEUREUX.

JE FERAI EN SORTE QUE TON NOM FIGURE AU GÉNÉRIQUE.

NON, JE N'AI ENTENDU AUCUN BEIGNE CRIER TON NOM. LES BEIGNES NE PARLENT PAS.

PEUT-ÊTRE MAIS JE LES AI ENTENDUS ME RACONTER DE DRÔLES D'HISTOIRES.

J'AI FAIT ERREUR. J'AI BIEN ENTENDU UN BEIGNE QUI T'APPELAIT.

NAVRÉ ! J'AI ENCORE FAIT ERREUR. IL APPELAIT QUELQU'UN D'AUTRE.

BEIGNE IDIOT !

TIENS, UN MOT DE TON CHIEN.

«Pourquoi es-tu là-dedans à manger alors que ton chien est ici à crier famine ?»

DIS-LUI QU'IL NE CRIE PAS FAMINE CAR JE LUI AI DONNÉ À MANGER VOILÀ DIX MINUTES.

IL DIT QUE TU N'ES PAS AFFAMÉ CAR IL T'A NOURRI IL Y A DIX MINUTES.

© 1999 United Feature Syndicate, Inc.

www.snoopy.com

1-17

«Oh».

Strip 1 (1-18):

LES TRACES QUE QUELQU'UN LAISSE DANS LA NEIGE EN RÉVÈLENT BEAUCOUP SUR SA PERSONNALITÉ.

QUE PEUX-TU ME DIRE À PROPOS DE CET INDIVIDU-LÀ ?

JE PENSE QU'IL PEUT S'AGIR D'UN DANSEUR.

Strip 2 (1-19):

TIENS ! CHACUN DOIT COMPLÉTER L'UN DE CES FORMULAIRES.

J'IGNORE COMMENT COMPLÉTER UN FORMULAIRE. JE NE SUIS QU'UN GAMIN !

TU N'AS QU'À COCHER CES PETITS CARRÉS.

ÇA JE PEUX.

À L'ÉCOLE AUJOURD'HUI, NOUS AVONS APPRIS À COMPLÉTER DES FORMULAIRES.

Strip 3 (1-20):

BONJOUR SALLY ! CHARLIE BROWN EST-IL LÀ ?

«IL NOUS RESTERA TOUJOURS LE SOUVENIR DE MINNEAPOLIS.» TELLE EST MA NOUVELLE PHILOSOPHIE.

BIEN. CHARLIE BROWN EST-IL LÀ ?

«IL NOUS RESTERA TOUJOURS LE SOUVENIR DE MINNEAPOLIS.».

À QUI PARLAIS-TU ?

POUR AINSI DIRE, À PERSONNE.

GRAND-PÈRE DIT QU'IL SE SOUVIENT DU TEMPS OÙ ON VOYAIT UN FILM, LES ACTUALITÉS FILMÉES, UN SÉRIAL ET UNE COMÉDIE POUR SEULEMENT DIX CENTS.

GRAND-PÈRE SE SOUVIENT DE TOUT.

JE ME DEMANDE S'IL A CONNU GATSBY...

VOICI LA COLLINE QUE NOUS ESCALADERONS.

ET APRÈS ? NOUS SERONS AU SOMMET ET NOUS ADMIRERONS LE MONDE ENTIER.

ET APRÈS ? NOUS REDESCENDRONS JUSQU'ICI.

CESSE DE DIRE «ET APRÈS ?»

ASSOYONS-NOUS UN PEU AVANT DE DESCENDRE.

EN FAIT, C'EST UN BON ENDROIT OÙ COLLATIONNER À MOINS QUE...

...CE NE SOIT TROP VENTEUX.

PEANUTS.

Par SCHULZ

CHÈQUE CADEAU

QU'EST-CE QUE C'EST ? UN CHÈQUE CADEAU ?

NAVRÉ MONSIEUR, C'EST UN CHÈQUE CADEAU DE PIZZERIA. NOUS NE SERVONS PAS DE PIZZA.

QU'EST-CE QUE C'EST ? UN CHÈQUE CADEAU POUR DE LA PÂTÉE POUR CHIEN ?

1-23

BIEN SÛR, MONSIEUR. JE M'EN OCCUPE TOUT DE SUITE.

VOICI.

DIRE QU'IL M'A FALLU TROIS ANS POUR SONGER À CELA.

OÙ ALLONS-NOUS ?

EN EXCUR-SION.

OH NON ! PAS MOI ! J'AI ENTENDU PAR-LER DE CES EXCURSIONS !

ON VOUS CONDUIT À LA CAMPAGNE ET ON VOUS Y ABANDONNE !

MONTE À BORD ! NOUS ALLONS AU MUSÉE DES BEAUX-ARTS.

D'ABORD ON VOUS CONDUIT AU MUSÉE ET ENSUITE ON VOUS ABANDONNE SUR PLACE !

1-25

LUCY DIT QUE NOUS ALLONS AU MUSÉE. QUE FAIT-ON EN PAREIL ENDROIT ?

ON REGARDE DES POR-TRAITS.

VRAIMENT ? ON VERRA PEUT-ÊTRE UN PORTRAIT DE MA MÈRE ?

POURQUOI UN PORTRAIT DE TA MÈRE ?

ELLE EST TRÈS JOLIE.

1-26

SUPER ! JE N'AVAIS JAMAIS VISITÉ UN MUSÉE AVANT AUJOURD'HUI.

J'AIME LES AQUARELLES.

POURQUOI LES AQUARELLES SONT-ELLES SI RAIDES ?

SI ON RENVERSE LE VERRE D'EAU ET QU'ELLE SE RÉPAND SUR LE PUPITRE ET SUR LE SOL, MADEMOISELLE EST FÂCHÉE.

SCHULZ 1-27

15

J'AI APPRIS PLEIN DE CHOSES AU MUSÉE.

MOI AUSSI.

JE CROIS AVOIR APPRIS UNE CHOSE TRÈS IMPORTANTE.

JE NE SERAI JAMAIS ANDREW WYETH.

CHIENS INTERDITS.

PLANCHES À ROULETTES INTERDITES.

EN PARTICULIER LES CHIENS SUR DES PLANCHES À ROULETTES.

DEMANDE À TON CHIEN S'IL VEUT S'ÉBROUER DANS LA NEIGE, RIRE ET AGIR COMME S'IL N'AVAIT PAS L'INTELLIGENCE QUI NOUS CARACTÉRISE.

HAHAHAHA!

COMMENT POURRIONS-NOUS NOUS AMUSER DAVANTAGE ?

SI TU ÉTAIS UN GOLDEN RETRIEVER...

VOICI SEPT BISCUITS; UN POUR CHAQUE JOUR DE LA SEMAINE.

2-1

LES JOURS PASSENT VITE COMME L'ÉCLAIR, N'EST-CE PAS ?

OUI MADAME, MON COMPTE RENDU EST PRESQUE TERMINÉ. IL ME FAUT JUSTE UN PEU PLUS DE TEMPS.

DIX ANNÉES, PAR EXEMPLE.

2/2

SI JE ME PENCHE BIEN BAS, MADAME, VOUS POUVEZ L'ATTEIN-DRE AVEC UNE GOMME À EFFACER.

JE SONGE À FONDER UN GROUPE DE DISCUSSION.

2/3

CELA POURRAIT ÊTRE TRÈS INTÉRESSANT.

LES GENS VIENDRAIENT DE PARTOUT AU MONDE POUR M'ÉCOUTER.

HÉ CHUCK, FABULEUSE PARTIE, NON ?

NOUS NOUS AMUSONS, N'EST-CE PAS CHUCK ?

LE BALLON EST À TOI.

1-2-2000

QUATRIÈME PRISE.

© 2000 United Feature Syndicate, Inc.

QUE VAS-TU FAIRE, CHUCK ?

TU COURS OU TU FAIS UNE PASSE ?

TOUS RENTRENT À LA MAISON, MONSIEUR.

TU DEVRAIS RENTRER, L'OBSCURITÉ TOMBE.

NOUS NOUS SOMMES AMUSÉS, HEIN MARCIE ?

OUI MONSIEUR, BIEN AMUSÉS.

www.snoopy.com

PERSONNE NE S'EST SERRÉ LA MAIN EN DISANT «BONNE PARTIE».

JE DOIS ADMETTRE QUE, SOUS PLUSIEURS ANGLES, NOUS FORMONS UNE FAMILLE UNIE. FRÈRES ET SŒURS SONT NATURELLEMENT PORTÉS LES UNS VERS LES AUTRES... UNE TELLE PROXIMITÉ EST VRAIMENT ADMIRABLE.

... CELA DIT...

COMMENT OBTIENT-ON UNE LIGNE EXTÉRIEURE ?

C'EST UN VALENTIN POUR MADEMOISELLE. TU VOIS ? JE DESSINE UN CŒUR.

ON DIRAIT PLUTÔT UNE POMME DE TERRE BOUILLIE.

ELLE EST VÉGÉTARIENNE. JE VAIS AJOUTER DES CAROTTES ET DU BROCOLI TOUT AUTOUR.

VOUDRAIS-TU ACHETER DES VALENTINS DESSINÉS DE MA MAIN POUR OFFRIR À TES AMIS ?

JE N'AI PAS D'AMIS.

TU N'AURAIS PAS DÛ OUVRIR LA PORTE !

VOUDRAIS-TU ACHETER UN VALENTIN DESSINÉ DE MA MAIN ?

VOIS ? IL Y A UN GRAND CŒUR.

ON DIRAIT PLUTÔT UNE POMME DE TERRE BOUILLIE.

OFFRE-LE À QUELQU'UN AU JOUR DE LA POMME DE TERRE BOUILLIE.

JE PRÉSUME QUE TU N'AS PAS ENVIE D'A-CHETER UN VALENTIN DESSINÉ DE MA MAIN, N'EST-CE PAS ?

VOIS ? J'Y AI DESSINÉ DE GRANDS CŒURS.

LES CHIENS N'ONT PAS DE VALENTIN.

NOUS LES RECEVONS MAIS N'EN N'OFFRONS PAS.

22

COMMENT SE FAIT-IL QUE JE NE REÇOIVE AUCUN VALENTIN ?

2-15

COMMENT SE PEUT-IL QUE JE N'EN REÇOIVE PAS MÊME UN SEUL ?

C'EST UN AFFREUX SENTIMENT, TU NE CROIS PAS ?

JE NE SAURAIS LE DIRE.

© 1999 United Feature Syndicate, Inc.

2-16

TURBULENCE DANS LES AIRS.

© 1999 United Feature Syndicate, Inc.

VOICI LE LIVRE QUE JE N'AI PAS LU EN NOVEMBRE.

VOICI LE LIVRE QUE JE N'AI PAS LU EN DÉCEMBRE ET CELUI QUE JE N'AI PAS LU EN JANVIER.

2-17

NOUS SOMMES DONC EN FÉVRIER.

JE PEUX TOUJOURS SAVOIR QUEL MOIS NOUS SOMMES D'APRÈS LE LIVRE QUE JE N'AI PAS LU.

AU PALMARÈS DES TARÉS, MONSIEUR, TU OCCUPES LA PREMIÈRE POSITION.

© 1999 United Feature Syndicate, Inc.

24

Je t'envoie des balles de golf pour ton anniversaire.

Je te souhaite un heureux anniversaire.

Et j'espère que tu aimes les balles de golf.

Fais gaffe de ne pas les envoyer dans l'étang.

2-18

Chevauchant sa monture, il partit au galop dans la prairie.

ti-galop
ti-galop
ti-galop
ti-galop.

«Ne me quitte pas !», lança-t-elle.

ti-galop
ti-galop
ti-galop
ti-galop.

C'EST LE TEXTE LE PLUS IDIOT QUE J'AIE LU !

TU N'AIMES PAS LES WESTERNS ?

2-19

NON, JE NE SUIS PAS INTÉRESSÉ.

2-20

NON, PAS AUJOURD'HUI, MERCI.

NON MAIS VOUS DEVRIEZ ME LAISSER VOTRE CARTE DE VISITE.

AH CES OISEAUX DE COMMERCE !

DIS DONC CHUCK, T'AS OUBLIÉ DE M'ENVOYER UNE CARTE DE SAINT-VALENTIN CETTE ANNÉE.

C'EST QUE LA DILIGENCE A PERDU SES CHEVAUX, PUIS DES BRIGANDS ONT BRAQUÉ LA DILIGENCE ET LE MAUVAIS TEMPS S'EST MIS DE LA PARTIE.

2-22

MERCI CHUCK ! JE VAIS RACCROCHER IL Y A CINQ MINUTES.

BONSOIR MONSIEUR. PERMETTEZ-MOI DE VOUS PRÉSENTER NOTRE NOUVEAU MENU.

2-23

SUR L'ANCIEN ON LISAIT « PÂTÉE POUR CHIEN ».

SUR LE NOUVEAU, ON LIT « PÂTÉ POUR CHIEN ».

LA STRATE SUPÉRIEURE, RIEN DE MOINS.

DEMANDE À TON CHIEN DE SORTIR ET DE S'ÉBATTRE DANS LA NEIGE.

S'ÉBATTRE VEUT DIRE JOUER OU BATIFOLER DE FAÇON VIVE ET TAPAGEUSE.

2-24

IL RÉPOND « NON ». « NON » VEUT DIRE DÉNIER OU REFUSER OU NE PAS VOULOIR.

JE SAIS CE QUE ÇA VEUT DIRE !

COMMENT AS-TU TROUVÉ LE FILM ?

DÈS LE DÉBUT IL ÉTAIT TROP LONG.

DEMANDE À TON CHIEN S'IL VEUT JOUER DEHORS AVEC MOI.

DIS-LUI QU'IL LANCERA LA BALLE ET QUE J'IRAI LA CHERCHER.

3-2

CHAQUE JOUR NOUS APPREND QUELQUE CHOSE DE NOUVEAU.

LES CHIENS NE PEUVENT LANCER.

SI TU LUI PRÉPARES SON DÎNER ET QUE JE LE LUI SERS, PARTAGERONS-NOUS LE POURBOIRE ?

CERTES.

3-3

NOUS NE DEVIENDRONS JAMAIS RICHES.

OUI MONSIEUR, JE VEUX ME PROCURER UN NOUVEAU CERF-VOLANT.

EUH... ROUGE, BLEU, JAUNE. PEU M'IMPORTE. LA COULEUR N'A PAS D'IMPORTANCE.

3-4

EN AVEZ-VOUS UN QUI NE CRAINT PAS LES HAUTEURS ?

3-5

EST-CE LE TIEN ? JE PRÉSUME QUE OUI, N'EST-CE PAS ?

3-6

JOE HOUDINI !

VOICI COMMENT ON JOUE.

JE PRENDRAI MES CARTES ET TU PRENDRAS LES TIENNES.

ENSUITE, NOUS LES LANCERONS EN L'AIR.

CELUI QUI A LE PLUS DE CARTES QUI ATTERRISSENT À L'ENDROIT L'EMPORTE.

COMMENT FAIS-TU ?

3-7

PARFOIS LA NUIT JE M'ÉVEILLE ET M'INTERROGE À SAVOIR SI LA VIE EST UN TEST À CHOIX MULTIPLES OU UN TEST VRAI-FAUX.

ALORS, UNE VOIX SURGIT DU NOIR ET ME DIT : « NAVRÉ DE TE L'APPRENDRE, MAIS LA VIE EST UNE DISSERTATION DE MILLE MOTS ».

3-8

JE N'EN CROIS PAS MES OREILLES ! IL A DIT : «C'EST TOUT LE TEMPS QUE NOUS AVONS». MAIS DE QUOI CAUSE-T-IL ? J'AI TOUT LE TEMPS QU'IL FAUT !

COMMENT PEUT-IL AFFIRMER : «C'EST TOUT LE TEMPS QUE NOUS AVONS» ? J'AI TOUTE LA VIE DEVANT MOI !

TU POURRAIS LUI ÉCRIRE UNE LETTRE POUR LE LUI DIRE.

JE N'AI PAS LE TEMPS.

3-9

QUAND J'AURAI FRAPPÉ 71 COUPS DE CIRCUIT, JE VENDRAI LA BALLE TROIS MILLIONS DE DOLLARS.

COMMENT LA PIRE JOUEUSE DE L'HISTOIRE DE CE SPORT PEUT-ELLE ESPÉRER FRAPPER 71 COUPS DE CIRCUIT ?

J'AI RAREMENT VU CIEL PLUS BLEU ET TOI ?

3-10

33

JE N'IRAI PAS À L'ÉCOLE AUJOURD'HUI. REMETS CE TRAVAIL À MADEMOISELLE, VEUX-TU ?

CE NE SONT QUE DES GRIBOUILLAGES.

IL FAIT NOIR LÀ-DESSOUS.

HIER TU ÉTAIS ABSENT.

J'ÉTAIS CACHÉ SOUS MON LIT.

3/12

JE CROIS QUE MA PRÉSENCE OU MON ABSENCE PASSE INAPERÇUE ICI.

DÉTROMPE-TOI. ELLE A UNE LISTE DE PRÉSENCE QU'ELLE COCHE.

DOUZE COCHES ET TU ES EXPULSÉ POUR TOUJOURS.

IL FAUT INSTALLER L'ÉLECTRICITÉ SOUS MON LIT.

DIS-LEUR QU'ILS NE PEUVENT FABRIQUER UN NID SUR MON MONTICULE.

3-13

POURQUOI AI-JE TOUJOURS LE SENTIMENT D'ÊTRE UN OUTSIDER ?

EN THÉORIE, JE DEVRAIS ÉMULER MON FRÈRE AÎNÉ.

MAIS CETTE HISTOIRE DE COUVERTURE M'EN DISSUADE.

3-18

CE QUI M'OBLIGE À REGARDER AUTRE PART ET À ME POSER LA QUESTION...

LE CHIEN DU VOISIN PEUT-IL ÊTRE UN MODÈLE À ÉMULER ?

© 1999 United Feature Syndicate, Inc.

CECI CONCLUT MON EXPOSÉ SUR MON CHIEN. QUELQU'UN A-T-IL UNE QUESTION ?

NON, CE N'EST PAS UN CHIEN DE BERGER. POURQUOI TIENT-IL CETTE CANNE ?

3-19

AACKK

D'AUTRES QUESTIONS ?

© 1999 United Feature Syndicate, Inc.

VOICI LA LISTE DES JOUEURS QUI FORMENT NOTRE ÉQUIPE CETTE SAISON.

QU'EN EST-IL DE TU-SAIS-QUI ?

TU-SAIS-QUI JOUE ENCORE AU CHAMP DROIT.

VRAIMENT ?

COMMENT SAIS-TU QUE TU-SAIS-QUI C'EST TOI ?

TU SAIS QUI SAIT TOUT.

3-20

© 1999 United Feature Syndicate, Inc.

37

QU'EST-CE QUE TU PRÉFÈRES ? PRENDRE TON PETIT-DÉJEUNER OU M'AIDER À FAIRE UN DEVOIR QUE J'AURAIS DÛ FAIRE HIER SOIR ?

3-22

JE CHOISIS LE PETIT-DÉJEUNER.

J'AI BU TOUT LE LAIT.

J'AIME M'ASSEOIR DERRIÈRE TOI, LINUS.

HEUREUX DE L'ENTENDRE.

TU AS DE BEAUX CHEVEUX.

MERCI.

ET TU SENS LA GOMME À EFFACER.

3-23

JE CONNAIS LA RÉPONSE ! JE CONNAIS LA RÉPONSE !

NAVRÉE MADAME, JE BLUFFAIS.

«BLUFFER», MADAME, VOUS SAVEZ «TACTIQUE DE DIVERSION».

EXACT, TOUJOURS EN TRAIN DE FRÔLER L'IMPERTINENCE.

3-24

OUI MADAME, JE SAIS TOUT, SAUF LES RÉPONSES.

VOIS, MON PÈRE M'A OFFERT UN SAC DE BILLES.

LE PÈRE D'UN CHIEN NE PEUT LUI ACHETER CES CHOSES.

3-25

TON PÈRE A-T-IL DÉJÀ MORDU QUELQU'UN ?

J'AI UN JEU À TE PROPOSER.

ON DOIT TENTER DE DEVINER COMBIEN DE BILLES L'AUTRE JOUEUR TIENT DANS SA MAIN.

DANS SES PATTES !

3-26

RERUN ET SNOOPY TENTENT DE FAIRE REVIVRE L'ANTIQUE JEU ROMAIN DES BILLES ET DES CARTES.

3-27 © 1999 United Feature Syndicate, Inc.

NOTRE PREMIER MATCH DE LA SAISON ? QUE NOUS FAUT-IL POUR L'EMPORTER ?

DU COURAGE, DE LA FORCE D'ÂME ET DE LA DÉTERMINATION !

3-29

COMMENT SAIS-TU CES CHOSES ?

J'AI NOTÉ TON DIS-COURS DE LA SAISON DERNIÈRE.

RENVOIE-LUI LA BALLE, CRÉTIN !

3-30

JE N'ENTENDS PAS CE QUE VOUS DITES MLLE JE-SAIS-TOUT, LA PIRE JOUEUSE DE TOUTE L'HIS-TOIRE DU SPORT, PARCE QUE VOUS ÊTES ORIENTÉE VERS LA MAUVAISE DIRECTION.

RENVOIE-LUI LA BALLE, CRÉTIN !

EST-CE MIEUX AINSI ?

C'EST LE PREMIER TOUR DE BATTE ET NOUS PERDONS DÉJÀ QUARANTE À ZÉRO !

3-31

ET VOILÀ QU'IL PLEUT À PRÉSENT !

TU VOIS CHARLIE BROWN ! IL SUFFIT D'AVOIR LA FOI !

42

PEANUTS.

Par SCHULZ

N'ous pouvons (presque) modifier le cours de votre existence.

assistance psychologique

JE ME DEMANDE SI JE SAURAI JAMAIS ÊTRE UN BOUTE-EN-TRAIN.

le docteur est là

TOI ?

HA HA HA HA HA!

le docteur est là

4-4

NAVRÉE, JE N'AURAIS PAS DÛ RIRE. OÙ EN ÉTIONS-NOUS ? JE ME SOUVIENS À PRÉSENT....

le docteur est là

TOI ? BOUTE-EN-TRAIN ?

HA HA HA HA!

le docteur est là

COMMENT S'EST DÉROULÉE TA SÉANCE CHEZ LA PSYCHOLOGUE ?

JE LUI DEMANDAIS SI JE SAURAIS JAMAIS ÊTRE UN BOUTE-EN-TRAIN QUAND...

TOI ? HA HA HA HA!

AU FAIT, JE N'AI JAMAIS EU D'ENTRAIN.

C'EST À CONTRE-COEUR QUE JE TE QUITTE, SNOOPY, MAIS JE DOIS ME RENDRE À L'ÉCOLE.

AINSI VA LA VIE ! LES HUMAINS S'EN VONT, LES CHIENS RESTENT À LA MAISON.

ET RESTENT À LA MAISON, ET RESTENT À LA MAISON, ET RESTENT À LA MAISON

TU AS RÉUSSI, MONSIEUR ! JE SUIS FIÈRE DE TOI !

MERCI MARCIE. MERCI.

JE NE T'EN CROYAIS PAS CAPABLE MAIS TU Y ES PARVENUE !

«LE TEMPLE DE LA RENOMMÉE DES PIRES ÉLÈVES» !

MADAME, À PRÉSENT QUE JE SUIS INTRONISÉE AU TEMPLE DE LA RENOMMÉE DES PIRES ÉLÈVES, DOIS-JE ENCORE FAIRE LES MÊMES DEVOIRS QUE LES ÉLÈVES ORDINAIRES ?

UN MODÈLE À ÉMULER ?

HAHAHAHA!

OUI MADAME, JE PUIS ÊTRE UN MODÈLE À ÉMULER.

J'AI REÇU UNE ATTESTATION, CHUCK, COMME QUOI JE SUIS ENTRÉE AU TEMPLE DE LA RENOMMÉE DES PIRES ÉLÈVES.

CROIS-TU QUE LA PROF SE MONTRE SARCASTIQUE ? CHERCHE-T-ELLE À ME PASSER UN MESSAGE ?

ET BIEN...

MERCI CHUCK.

4-8

OUI MADAME, SON PUPITRE SEMBLE VIDE.

JE PENSE QU'ELLE A ÉTÉ OFFENSÉE PAR CETTE HISTOIRE DE TEMPLE DE LA RENOMMÉE DES PIRES ÉLÈVES.

4-9

OUI, SI JE LA VOIS, JE LE LUI DIRAI.

TU VOIS ? ELLE N'A AUCUNE IDÉE QUE JE SUIS LÀ-DESSOUS.

VEUX-TU ACHETER CE PORTRAIT QUE J'AI FAIT DE TON CHIEN ?

ES-TU UN VENDEUR ?

UN QUOI ?

LES VENDEURS SONT EN VOIE DE DISPARITION.

AS-TU VENDU TON DESSIN ?

JE N'AI PAS PU. JE SUIS EN VOIE DE DISPARITION.

4-10

RERUN ! TU VIENS OU PAS ?

JE NE RETOURNERAI PLUS JAMAIS À L'ÉCOLE.

L'ENSEIGNANTE M'A DEMANDÉ SI J'AVAIS APPRIS TOUT CE QU'IL ME FAUT SAVOIR.

JE CROIS QU'ELLE FAISAIT DU SARCASME.

QUOI QU'IL EN SOIT, J'AI RÉPONDU OUI ET ELLE EST FÂCHÉE CONTRE MOI.

CROIS-TU AVOIR APPRIS TOUT CE QU'IL TE FAUT SAVOIR ?

JE CROIS QUE J'AI APPRIS TOUT CE QU'IL ME FAUT SAVOIR POUR VIVRE SOUS UN LIT.

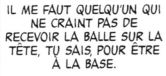

DIS CHUCK, TU VEUX FAIRE PARTIE DE MON ÉQUIPE CETTE SAISON ?

IL ME FAUT QUELQU'UN QUI NE CRAINT PAS DE RECEVOIR LA BALLE SUR LA TÊTE, TU SAIS, POUR ÊTRE À LA BASE.

4-12

NON ? D'ACCORD, JE COMPRENDS.

QUOI QU'IL EN SOIT, BONNE CHANCE, AVEC TA SOI-DISANT ÉQUIPE.

C'ÉTAIT PLUS FORT QUE TOI, HEIN MONSIEUR ?

UN DOIGT DÉSIGNERA UNE BALLE DROITE, DEUX DOIGTS DÉSIGNERONT UNE AUTRE BALLE DROITE...

4-13

www.snoopy.com

TROIS DOIGTS DÉSIGNERONT UNE AUTRE BALLE DROITE.

AUTRE CHOSE ?

ÇA N'AURA PLUS D'IMPORTANCE ALORS.

4-14

HÉ ! POURRIEZ-VOUS ME RENVOYER LA BALLE ?

QUI L'A FRAPPER ?

PERSONNE D'IMPORTANT.

48

TU SAIS, CHARLIE BROWN, QUE LE BASEBALL EST UN JEU FONDÉ SUR LA RÉFLEXION.

JE SONGEAIS À CE QUE SERAIT LE MONDE À PRÉSENT SI BEETHOVEN AVAIT ÉPOUSÉ ANTONIA BRENTANO.

ET QU'EN SERAIT-IL S'IL S'ÉTAIT MARIÉ À GIULETTA GUICIARDI ? JE N'EN AI AUCUNE IDÉE.

LES RECEVEURS ONT TROP DE TEMPS LIBRE.

4-15

COMMENT S'EST DÉROULÉE LA PARTIE ?

NOUS AVONS PERDU DE PEU.

4-16

ILS AVAIENT QUARANTE ET NOUS AVIONS UN.

JUSQU'ICI, TA VIE EST PLUTÔT RÉUSSIE, NON ?

4-17

JE ME DEMANDE COMMENT TU FAIS.

J'AI EU DE LA VEINE.

J'AI EU UNE EXEMPTION DÈS LA PREMIÈRE RONDE.

PEANUTS Par SCHULZ

DÉSIREUX D'ABANDONNER LA PARTIE ? JE NE T'EN BLÂME PAS.

TOUTEFOIS, SI TU TE DÉSISTES, IL FAUT OFFICIALISER LA CHOSE.

TU DOIS COMPLÉTER CE FORMULAIRE. «NOM, ÂGE, DEPUIS COMBIEN DE TEMPS JOUEZ-VOUS ?».

«PROMETTEZ DE NE JAMAIS JOUER DE VOTRE VIE, DE NE JAMAIS SUIVRE UN AUTRE COURS, DE NE JAMAIS REGARDER LE GOLF À LA TÉLÉ».

LE FORMULAIRE DOIT ÊTRE SIGNÉ PAR JACK NICKLAUS AVANT D'ÊTRE POSTÉ À ST. ANDREWS EN ÉCOSSE.

MINUTE PAPILLON ! IL Y A AUTRE CHOSE...

«LE GOLFEUR QUI SE DÉSISTE DOIT RETIRER TOUS SES CLUBS DES ARBRES».

4-18

50

SI JE RESTE ICI SUFFISAMMENT LONGTEMPS, CROIS-TU QUE QUELQU'UN S'AMÈNERA POUR M'OFFRIR UN VÉLO GRATUIT ?

4-19

J'EN DOUTE.

C'EST BIEN DOMMAGE.

JE RAFFOLE DE TOUT CE QUI EST GRATUIT.

ON DIT : «CESSEZ L'ACTIVITÉ SI VOUS ÉPROUVEZ UNE DOULEUR OU S'IL Y A ENFLURE. ÉVALUEZ LE DEGRÉ DE MALAISE».

4-20

C'ÉTAIT UN BALAYAGE EN LIGNE.

© 1999 United Feature Syndicate, Inc.

JE REVIENS DU SALON DE BARBIER DE TON PÈRE.

J'IGNORAIS QUE COUPER LES CHEVEUX PROVOQUE LA DOULEUR.

ÇA NE FAIT PAS MAL.

4-21

© 1999 United Feature Syndicate, Inc.

JE SUIS TOMBÉ DU FAUTEUIL.

51

TU ES MON FRÈRE AÎNÉ, TU DEVRAIS ÊTRE UN MODÈLE POUR MOI.

ALORS, QUE VEUX-TU QUE JE FASSE ?

LE MODÈLE.

4-22

© 1999 United Feature Syndicate, Inc.

www.snoopy.com

T'AS ENTENDU ÇA ? IL DIT QU'IL PLEUVRA AUJOURD'HUI.

S'IL VA PLEUVOIR, POURQUOI N'ES-TU PAS RESTÉ CHEZ TOI AFIN DE RECONDUIRE TES ENFANTS À L'ÉCOLE ?

www.snoopy.com

TES ENFANTS SERONT TOUT TREMPÉS ! QUELLE ESPÈCE DE PÈRE FAIS-TU !

4-23

JE GUEULE APRÈS LUI CHAQUE MATIN ET IL FAIT TOUJOURS LA SOURDE OREILLE.

© 1999 United Feature Syndicate, Inc.

INCESSAMMENT, LA PORTE S'OUVRIRA ET LE GAMIN À LA TÊTE RONDE APPORTERA MON SOUPER.

4-24

JE SAIS QU'IL EN SERA AINSI CAR IL EN EST TOUJOURS AINSI.

www.snoopy.com

LES CHIENS CROIENT QUE SI UNE CHOSE EST SURVENUE UNE FOIS ELLE SURVIENDRA ENCORE ET ENCORE VOILÀ CE QUE LES CHIENS CROIENT.

HA !

© 1999 United Feature Syndicate, Inc.

52

PEANUTS

Par SCHULZ

QUI SUIS-JE ? JE SUIS L'ENTRAÎNEUR.

QU'EST-CE QUE C'EST ?

DE L'EAU FRAÎCHE. QUAND NOUS REMPORTERONS LE CHAMPIONNAT, NOUS LA VERSERONS SUR LA TÊTE DE L'ENTRAÎNEUR.

J'AI VU LES FOOT-BALLEURS AGIR AINSI.

NOUS NE REMPORTERONS JAMAIS UN CHAMPIONNAT. NOUS NE POU-VONS MÊME PAS GAGNER UNE PARTIE !

C'EST VRAI. MAIS JE N'ATTENDRAI PAS INDÉFINIMENT.

T'ES FOLLE OU QUOI ? CHARLIE BROWN T'EN VOUDRA POUR LE RESTE DE SA VIE !

AVONS-NOUS GAGNÉ ?

J'AI UN GANT DE BASEBALL, CHARLIE. PUIS-JE FAIRE PARTIE DE TON ÉQUIPE ?

JE TE L'AI DIT, RERUN, TU ES TROP JEUNE.

PEUT-ÊTRE L'AN PROCHAIN.

L'AN PROCHAIN, JE SERAI PEUT-ÊTRE TROP VIEUX.

TU VOIS, LE PROBLÈME, C'EST QUE JE SUIS TROP JEUNE ET TROP PETIT.

CE N'EST PAS QU'ILS ESTIMENT QUE JE SOIS INFÉRIEUR... COMME SI J'ÉTAIS UN CHIEN, PAR EXEMPLE.

O.K. OÙ SE TROUVE NOTRE ARRÊT COURT ?

TU VOIS, CE N'EST PAS COMME SI J'ÉTAIS AMER, PAR EXEMPLE.

CESSE DE ME DEMANDER LES RÉPONSES, MONSIEUR ! JE NE CONNAIS PAS TOUTES LES RÉPONSES. IL M'ARRIVE DE RÉPONDRE AU PIFFOMÈTRE.

AU PIFFOMÈTRE ? TU M'AS DONNÉ DES RÉPONSES AU JUGÉ ?

TEMPS D'ARRÊT !

OUI MADAME, NOUS AVONS UN PETIT PROBLÈME.

VOYEZ, AUX QUESTIONS DEUX, NEUF, ONZE ET VINGT, J'AI DÛ DEMANDER LES RÉPONSES À MARCIE...

MAIS ELLE ADMET AVOIR RÉPONDU AU JUGÉ AUX QUESTIONS NEUF ET VINGT. ALORS, POUR MON EXAMEN, JE ME DEMANDAIS SI...

NE SOUPIREZ PAS AINSI, MADAME, VOUS ME FENDEZ LE CŒUR.

4-29

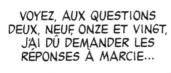

MADAME DIT QU'ELLE PEUT TOUJOURS DÉCELER LES RÉPONSES QUE TU DONNES AU JUGÉ.

TU LUI AS DIT QUE JE RÉPONDS AU JUGÉ ?

OUI MARCIE. J'AI DÛ ME PROTÉGER. MES RÉPONSES SONT IDIOTES À CAUSE DE TOI.

TU COMPRENDS, N'EST-CE PAS ? TU ME PARDONNES, N'EST-CE PAS ?

JE JUGE QUE OUI.

4-30

www.snoopy.com

SCHULZ

T'AS REMARQUÉ QUELQUE CHOSE ?

QUAND JE SUIS SORTI AVEC TON SOUPER, JE NE SUIS PAS VENU À TOI EN DROITE LIGNE. J'AI PLUTÔT DÉAMBULÉ.

JE ME DEMANDAIS SI TU AVAIS REMARQUÉ.

JE NE SAIS PAS CE QUI M'ARRIVE, JE N'AVAIS PAS REMARQUÉ CELA.

5-1

www.snoopy.com

SCHULZ

UN NOUVEAU
JEU.

PRÊT.

www.snoopy.com

UN JOUR, L'UN DE
NOUS DEUX DEVRA
APPRENDRE À
BRASSER LES
CARTES.

5-2

57

JE SUIS SUR LA LIGNE D'UN MÈTRE. LE COMPTE EST DE TROIS À DEUX. LE DIX-HUITIÈME TROU EST UN PAR CINQ JUMELÉ À UN ÉTANG. IL NE RESTE QU'UNE SECONDE AU CHRONO. LA REMISE EN JEU SE FAIT DANS VOTRE ZONE. LE POINT DE LA PARTIE SE DÉCIDE AU PROCHAIN COUP...

5-6

LA PREMIÈRE QUESTION TE DONNE DU MAL, MONSIEUR ?

ET UN ÉCART DE SEPT À DIX AU DIXIÈME COUP !

© 1999 United Feature Syndicate, Inc.

SI TU TE RENDS EN VILLE, RAPPORTE-MOI UNE PIZZA.

5-7

DÉSOLÉ, JE CROYAIS QUE TU ALLAIS EN VILLE.

SI JAMAIS TU ALLAIS EN VILLE, SOIS GENTIL ET RAPPORTE-MOI UNE PIZZA.

JE MÈNE UNE EXISTENCE TRÈS, TRÈS, TRÈS STUPIDE.

© 1999 United Feature Syndicate, Inc.

5-8

© 1999 United Feature Syndicate, Inc.

58

60

LORSQUE LE PÉLICAN APERÇOIT UN POISSON, IL DESCEND EN PIQUÉ VERS L'EAU POUR L'ATTRAPER.

5-13

PIQUE DU NEZ.

C'EST GRAND-PÈRE À L'APPAREIL. VEUX-TU LUI SOUHAITER BON ANNIVERSAIRE ?

J'IGNORAIS QUE C'EST SON ANNIVERSAIRE.

JOYEUX ANNIVER- SAIRE GRAND-PÈRE ! JE T'EN PRIE, À BIENTÔT, J'ESPÈRE !

5-14

QUEL GRAND-PÈRE C'ÉTAIT ?

C'EST BON, JE LE SENS QUAND ON NE VEUT PLUS DE MOI !

JE PEUX ALLER VIVRE AILLEURS, VOUS SAVEZ.

JE PEUX M'INSTALLER CHEZ TANTE EDNA...

5-15

... OU LOIS OU LINDA OU EUNICE, PEU IMPORTE COMMENT ELLE S'APPELLE !

PEANUTS.

Par SCHULZ

LINUS ?

VOICI CE QUE JE VOULAIS TE DEMANDER.

EUF

QUOI DONC ? DÉSOLÉ ! JE BÂILLAIS EN M'ÉTIRANT. JE N'ENTENDS RIEN LORSQUE JE BÂILLE EN M'ÉTIRANT.

BIEN. JE TE DEMANDAIS SI...

JE N'AI PAS ENTENDU. JE MASTIQUAIS DES CROUSTILLES ET, LORSQUE JE MASTIQUE DES CROUSTILLES, JE N'ENTENDS RIEN.

5-16

C'EST BON. SI TU NE M'ENTENDS PAS, JE VAIS T'ÉCRIRE.

JE NE PARVIENS PAS À LIRE. IL FAIT SOMBRE ICI.

TU NE T'EN RENDS PEUT-ÊTRE PAS COMPTE MAIS TU ES MA SOURCE D'INSPIRATION.

5-17

J'AIME TE VOIR HAUT DRESSÉ COMME SI TU VOULAIS TOUCHER LA VOÛTE CÉLESTE.

C'EST TRÈS INSPIRANT.

PAR CONTRE, ON DIRAIT AUSSI QUE TU ES VICTIME D'UN VOL À MAIN ARMÉ DANS UNE ÉPICERIE.

OUI MADAME, C'EST LA LISTE DES COLLÈGES OÙ J'AI L'INTENTION DE M'INSCRIRE.

VOUS DEVREZ ME RÉDIGER DES LETTRES DE RECOMMANDATION.

5-18

OÙ EST-ELLE PASSÉE ?

J'AI DÉCIDÉ DE M'INSCRIRE SEULEMENT AUX COLLÈGES QUI ONT UNE ÉQUIPE DE GOLF.

CROIS-TU QU'IL TE FAUDRA UNE MOYENNE ENVIABLE ?

5-19

NON, ILS SE SOUCIENT SEULEMENT DE CE QU'ON PUISSE RÉUSSIR UN PAR CINQ EN DEUX COUPS.

63

DIS CHUCK, SONGES-TU À ALLER AU COLLÈGE ?

EUH... PAS VRAIMENT.

VOILÀ TON PROBLÈME : TON EXISTENCE MANQUE D'ORIENTATION.

IL FAUT PLANIFIER SON EXISTENCE UN TOUR DE BATTE À LA FOIS.

J'AI DÉJÀ ESSAYÉ ET L'ÉQUIPE ADVERSE EST ENCORE AU BÂTON.

5-20

JE NE SUIS PLUS AUSSI INTÉRESSÉE À M'INSCRIRE À UN COLLÈGE.

JE VIENS DE DÉCOUVRIR UNE CHOSE.

ON Y DONNE DES COURS !

5/21

5-22

JE NE SAIS PAS. AURIONS-NOUS DÛ L'OUVRIR POUR VOIR CE QUE LE MESSAGE DISAIT ?

A-T-ON DONNÉ LES ANNONCES ? J'AI TOUJOURS AIMÉ LES ANNONCES.

«CE SOIR, LE RÔLE DE TARTAMPION SERA TENU PAR UNTEL. L'USAGE D'APPAREILS PHOTO ET DE DISPOSITIFS D'ENREGISTREMENT EST STRICTEMENT INTERDIT».

5-24

J'ADORE LES ANNONCES.

TU ES VRAIMENT TARÉE, MONSIEUR.

OUI, MADAME. C'ÉTAIT UNE BELLE HISTOIRE. MERCI DE NOUS L'AVOIR LUE.

5-25

RÉVEILLE-TOI, RERUN. L'HISTOIRE EST TERMINÉE. TU AS RATÉ LES ÉPISODES INTÉRESSANTS.

IL Y AVAIT DES ÉPISODES INTÉRESSANTS ?

NOTRE ENSEIGNANTE EST FURIEUSE CONTRE MOI CAR JE ME SUIS ENDORMI PENDANT QU'ELLE LISAIT UNE HISTOIRE.

MAIS AU MOINS J'AI APPRIS UNE CHOSE.

5-26

TOUJOURS S'ASSEOIR DANS LA DERNIÈRE RANGÉE.

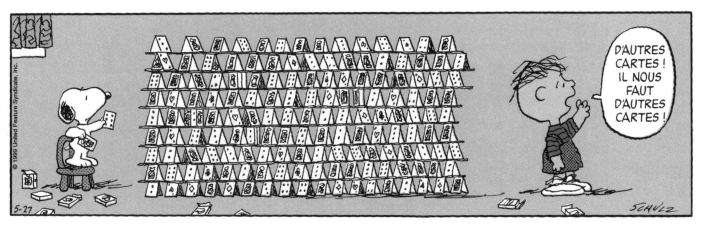

67

5-30

OUI MADAME, J'AI MON EXPOSÉ.

«COMMENT PERDRE UN AUTRE DIMANCHE APRÈS-MIDI EN REGARDANT DORMIR SON CHIEN».

OUI MADAME, J'AI TERMINÉ.

J'AI DÉCOUPÉ LES LIONS ET LES ZÈBRES ET JE LES AI COLLÉS DANS LA JUNGLE. VOYEZ !

5-31

À VRAI DIRE, J'AI HORREUR DES DÉCOUPAGES ET DES COLLAGES.

JE VOIS MON AVENIR DANS LES COLORIAGES.

THOMAS PAINE A DIT : «NOUS SOMMES À UNE ÉPOQUE ÉPROU-VANTE POUR L'ÂME DES HOMMES ».

DE QUOI PARLAIT-IL ?

6-1

DU DÉCOUPAGE ET DU COLLAGE.

NAVRÉE D'AVOIR RATÉ LA BALLE, L'ENTRAÎNEUR ! LES PISSENLITS M'ONT JOUÉ DES TOURS.

LORSQUE LE SOLEIL DARDE SES RAYONS SUR LA FLEUR JAUNE DES PISSENLITS, JE NE VOIS PLUS LA BALLE.

C'EST LA PIRE EXCUSE QUE J'AIE ENTENDUE !

SOIS PATIENT. J'EN AI VINGT ET UNE NOUVELLES !

6-2

HÉ L'ENTRAÎNEUR, MENONS-NOUS LÀ PARTIE ?

NON. NOUS NE MENONS PAS ET NOUS NE MÈNERONS PROBABLEMENT JAMAIS !

PERDONS-NOUS ?

OUI NOUS PERDONS ET NOUS PERDRONS PROBABLEMENT TOUJOURS !

6-3

D'AUTRES QUESTIONS ?

COMMENT ÇA VA ?

JE CRAINS DE REGARDER MON BULLETIN.

TIENS MARCIE, REGARDE MON BULLETIN ET DIS-MOI COMBIEN J'AI OBTENU.

AAUGHH!!

6-4

VOUS DEVRIEZ ÉCRIRE DES CONTES D'HORREUR, MADAME.

SUR CE, LE POÈTE DEMANDA : «QU'EST-CE QUI EST AUSSI RARE QU'UN JOUR DE JUIN ?»

6-5

QUEL JOUR ? JE NE SAIS PAS QUEL JOUR. ON S'EN MOQUE !

TU N'AS PAS AIMÉ HIER ?

TU RENTRES TÔT. QUE S'EST-IL PASSÉ ?

PARTOUT OÙ NOUS SOMMES ALLÉS, DE GIGAN-TESQUES CRÉATURES AUX MAINS ROUGES !

LORSQU'ON DÎNE DANS UN RESTO HAUT DE GAMME, LE GARÇON NOUS PRÉVIENT : «PRENEZ GARDE, MONSIEUR, LE PLAT EST CHAUD».

6-7

PRENEZ GARDE, MONSIEUR, LE PLAT EST EN PLASTIQUE.

LES JOURNÉES DEVIENNENT-ELLES PLUS LONGUES OU PLUS COURTES ?

6-8

EN FAIT, ELLES DEVIENNENT PLUS ÉTROITES.

CERTAINS MATINS, LA JOURNÉE EST SI ÉTROITE QUE L'ON A DU MAL À SE FAIRE UNE PLACE.

JE NE SAIS JAMAIS DE QUOI TU PARLES.

AUJOUR- D'HUI, ELLE SEMBLE PLUTÔT AMPLE.

J'AI BIEN AIMÉ CE FILM.

JE TROUVE LES SOUS-TITRES INSUPPORTABLES.

PAR CHANCE, ILS ÉTAIENT EN FRANÇAIS.

6-9

72

OÙ AS-TU TROUVÉ CE GÂTEAU ?

À LA CUISINE.

JE DIS QUE TU DEVRAIS TOUJOURS PARTAGER AVEC TA SŒUR.

D'ACCORD, TOUJOURS.

TOUJOURS, INCONDITION-NELLEMENT.

TOUJOURS, ASSURÉ-MENT.

MAIS PAS CHAQUE FOIS.

DIS DONC, MARCIE, AS-TU DES PROJETS POUR L'ÉTÉ ?

DES LEÇONS DE VIOLON, DES COURS D'ESPAGNOL, DES COURS DE DANSE, DES COURS DE NATATION ET LA LECTURE DE «DON QUICHOTTE»

6-11

RENTRE ET REFERME LA PORTE, MARCIE. JE PRÉFÈRE RESTER ICI.

QUE N'AIMES-TU PAS OBSERVER LES NUAGES, MARCIE ?

JE NE PEUX PAS, JE LIS «DON QUICHOTTE».

6-12

QU'EN DIS-TU, CHUCK ? LES NUAGES OU «DON QUICHOTTE» ?

NOUS TRAÎNIONS DIX POINTS DE L'ARRIÈRE ET NOUS N'ÉTIONS QU'AU PREMIER TOUR AU BÂTON.

74

POURQUOI NE PAS TE DÉFAIRE DE CE TÉLÉPHONE PORTABLE ?

BONJOUR CHARLES ! PUIS-JE EMPRUNTER TON CHIEN POUR LA JOURNÉE ?

ON NE PEUT EMPRUNTER UN CHIEN. ON PEUT EMPRUNTER DE L'ARGENT OU UN GANT DE BASE-BALL OU UNE AUTO, MAIS ON NE PEUT EMPRUNTER UN CHIEN.

JE L'IGNORAIS.

DEMANDE À TON PÈRE SI JE PEUX EMPRUNTER SON AUTO.

6-17

QUE JE TE POSE UNE QUESTION...

SAIS-TU CE QUE NOUS FAISONS ICI ?

J'AI MÉMORISÉ LE VERSET DE LA BIBLE QUE NOUS SOMMES CENSÉS APPRENDRE POUR DIMANCHE.

QUEL VERSET ?

JE NE SAIS PLUS. TU ME L'AS FAIT OUBLIER.

6-18

PEUT-ÊTRE ÉTAIT-CE QUELQUE CHOSE QUE MOÏSE A DIT OU UNE CITATION DU LIVRE DE LA RÉÉVALUATION...

L'OUBLI EST UNE CHOSE DÉPLORABLE.

LORSQUE QUELQU'UN APPROCHE, COMMENT DÉCIDES-TU SI TU DOIS ABOYER ?

6-19

WOUF !

76

QUE DESSINES-TU ?

UNE CARTE POUR PAPA. C'EST LA FÊTE DES PÈRES

VRAIMENT ? PAS ÉTONNANT QU'IL N'Y AIT PAS D'ÉCOLE.

IL N'Y A PAS D'ÉCOLE CAR NOUS SOMMES DIMANCHE.

TU AS DIT QUE C'EST LA FÊTE DES PÈRES.

C'EST LA FÊTE DES PÈRES ET C'EST DIMANCHE.

LA FÊTE DES PÈRES TOMBE TOUJOURS LE DIMANCHE.

GÉNIALE PLANIFICATION, PAPA !

CROIS-TU ?

TU AS PROBABLEMENT RAISON.

NOUS SOMMES AUSSI TREMPÉS QUE LES POISSONS.

6-21

HÉ L'ENTRAÎNEUR, POURQUOI DOIS-JE TOUJOURS JOUER AU CENTRE DROIT ?

PARCE QUE TU NE SAIS PAS JOUER !

J'IMAGINE QUE TU TE PRENDS POUR UN GRAND LANCEUR, HEIN ?

ET J'IMAGINE QUE TU TE CONSIDÈRES COMME UN GRAND ENTRAÎNEUR ?

ÇA POURRAIT MAL SE TERMINER.

6-22

LUCY EST À L'APPAREIL. ELLE VEUT SAVOIR POURQUOI ELLE JOUE TOUJOURS AU CHAMP DROIT.

TRADITIONNELLEMENT, ON POSTE AU CHAMP DROIT LE JOUEUR LE PLUS FAIBLE À LA DÉFENSIVE.

IL DIT QUE LE JOUEUR LE PLUS IDIOT JOUE TOUJOURS AU CHAMP DROIT.

ÇA POURRAIT TRÈS MAL SE TERMINER.

6-23

RÉPONDS À MA QUESTION : COMMENT SE FAIT-IL QU'UN CHIEN JOUE À L'ARRÊT COURT ALORS QUE MOI JE JOUE AU CHAMP DROIT ?

IL CONNAÎT TRÈS BIEN LES RÈGLES DU JEU, IL EST D'ORDINAIRE TRÈS VIGILANT ET...

KLUNK!

LE LANCER DU CHAMP INTÉRIEUR ? QUI VEUT CONNAÎTRE LA RÈGLE DU LANCER DU CHAMP INTÉRIEUR ?

6-24

HÉ L'ENTRAÎNEUR, TANT QU'À JOUER AU CHAMP DROIT, J'AI DÉCIDÉ DE NE PAS JOUER DU TOUT !

VRAI ? SUPER ! FANTASTIQUE ! QUEL SOULAGEMENT !

C'EST BON, JE VAIS JOUER AU CHAMP DROIT.

6-25

JE FERAI UNE MEILLEURE VOLTIGEUSE AVEC CES LUNETTES, TU NE CROIS PAS ?

LE SOLEIL NE M'AVEUGLERA PLUS, CE QUI SERA APPRÉCIABLE.

J'INTERCEPTERAI TOUT CE QUI VIENDRA PAR ICI.

6-26

MERCI DE CET ENTRE-TIEN, L'ENTRAÎNEUR !

JE NE LA SUPPORTE PAS ! JE NE LA SUPPORTE PAS !

79

EN UN MOMENT PAREIL, JE SOUHAITERAIS ME TROUVER À L'ÉCOLE.

JE VOIS CE QUE TU VEUX DIRE. CROIS-TU QUE C'EST UNE ENVIE D'APPRENDRE QUE NOUS PARTAGEONS ?

NON, J'AI LAISSÉ SIX BEIGNETS DANS MON PUPITRE.

6-28

DEVRAIS-JE ALLER EN COLONIE DE VACANCES ?

SEULEMENT SI T'EN AS ENVIE.

ENVIE ? DEPUIS QUAND AI-JE LE CHOIX DE FAIRE QUELQUE CHOSE ?

6-29

ET TES LEÇONS DE PIANO ?

JE N'EN AVAIS PAS ENVIE.

NON, JE NE VEUX PAS ALLER À VOTRE COLONIE DE VACANCES. CESSEZ DE M'IMPORTUNER.

6-30

JE LEUR AI DIT QUE LEUR COLONIE NE M'INTÉRESSE PAS.

UN BON POINT POUR TOI.

VRAIMENT ? TU CROIS QUE J'AI BIEN AGI ?

TOUT À FAIT !

UN BON POINT POUR MOI.

81

RETIRE CE MASQUE, NOUS N'ALLONS PAS EN COLONIE DE VACANCES.

NAVRÉE QUE TU NE PUISSES PAS FAIRE DE PLONGÉE. TU AS L'AIR D'UN EXPERT.

JE SUIS DÉJÀ TOMBÉ DANS LA PISCINE.

7-1

CROIS-TU QUE J'AI FAIT LA BONNE CHOSE EN N'ALLANT PAS EN COLONIE DE VACANCES ?

7-2

OH QUE SI ! J'AURAIS PU M'AMUSER.

OH QUE NON ! C'EST JUSTE. J'AURAIS DÉTESTÉ.

TU POURRAS TE REPRENDRE L'AN PROCHAIN. JE VAIS Y RÉFLÉCHIR.

NE BOUGE PAS ! JE TE RÉVEILLERAI L'AN PROCHAIN.

QUAND JE SERAI GRANDE, J'APPRENDRAI À JOUER D'UN INSTRUMENT DE MUSIQUE.

7-3

JE NE PARVIENS PAS À DÉCIDER SI JE JOUERAI DU PIANO, DU VIOLON, DE LA FLÛTE OU DE LA HARPE.

ÇA NE FAIT RIEN CAR TU NE JOUERAS JAMAIS D'UN INSTRUMENT.

T'ES FORTISSIMEMENT TARÉE, MARCIE.

PEANUTS

Par SCHULZ

GRAND-PÈRE ME L'A LUE, C'ÉTAIT UNE HISTOIRE DE LÉON TOLSTOÏ.

LA BONNE FEMME AVAIT QUATRE ENFANTS ET ILS DORMAIENT TOUS DANS UN GRAND BERCEAU.

QUAND ELLE LES METTAIT AU LIT, ELLE DONNAIT À CHACUN UN CHIFFON À SUCER.

7-4

GOÛTE BIEN TON CHIFFON À SUCER !

83

QUE DIRAIS-TU D'ACHETER UN PORTRAIT DE TON CHIEN ?

JE NE CROIS PAS. JE NE SAURAIS PAS QUOI EN FAIRE.

7-5

SI TU TE TROUVAIS SOUS LA PLUIE, TU POURRAIS LE METTRE SUR TA TÊTE.

PARFOIS, LORSQU'ON EST SOUS LA PLUIE, UNE RICHE NANA APPROCHE EN LIMOUSINE ET NOUS RACCOMPAGNE À LA MAISON.

LES RICHES NANAS EN LIMOU-SINE NE PASSENT PAS PAR NOTRE JARDIN.

12-30

SI ON S'ASSOIT PRÈS DE LA COURBE, ELLES NOUS ÉCLABOUSSENT EN PASSANT.

L'APPEL ÉTAIT POUR TOI MAIS J'AI DIT QUE TU NE RÉPONDAIS PAS PERSON-NELLEMENT AU TÉLÉPHONE.

J'AI DIT QUE TU MENAIS UNE VIE RECLUSE ET QUE TU T'ÉTAIS RETIRÉ DU MONDE.

12-31

JE ME SUIS PROPOSÉE POUR ÊTRE CELLE QUI RÉPONDRAIT À TOUS LES APPELS.

JE DIRAIS QUELQUE CHOSE MAIS JE SUIS RENVERSÉ.

84

VOICI LA MINE D'UN TYPE DONT L'ÉQUIPE VIENT DE PERDRE UNE AUTRE PARTIE.

VOICI COMMENT ON FOUT DES COUPS À SON GANT LORSQUE SON ÉQUIPE VIENT DE PERDRE QUARANTE À ZÉRO.

7-8

VOICI COMMENT ON CONTIENT SA COLÈRE ET QU'ON OBSERVE UN CAMION QUI ÉCRASE SON GANT APRÈS QU'ON AIT PERDU QUARANTE À ZÉRO.

ON PEUT PARLER À UN CACTUS.

7-9

MAIS L'HERBE-À-COCHON N'ÉCOUTE PAS.

EST-CE LA RENTRÉE DES CLASSES ?

NON, PAS AVANT NEUF OU DIX SEMAINES.

BIEN. J'AI BESOIN D'UNE LONGUE PÉRIODE DE TERREUR.

7-10

OUI, J'AI REÇU LA PUB SUR LA COLONIE DE VACANCES. OUI, MERCI.

NON, JE NE PROJETTE PAS Y ALLER CETTE ANNÉE.

SI JE CHANGEAIS D'IDÉE, POURRAIS-JE EMMENER LE LOUP DE MON FRÈRE AVEC MOI ?

7-12

WOUF !

UNE AUTRE COLONIE DE VACANCES OÙ JE NE SUIS PAS TENUE D'ALLER.

J'AI VU LA JOLIE PETITE ROUQUINE AU TERRAIN DE JEUX. NOUS AVONS DISCUTÉ.

ELLE EST MIGNONNE.

A-T-ELLE PARLÉ DE MOI ?

A-T-ELLE QUOI ?

JE NE LE SUPPORTE PAS.

7/13

ON DIRAIT UNE AUTOPOMPE.

QUELQUE CHOSE DOIT CHAUFFER.

CE N'EST CERTES PAS NOTRE LANCEUR.

7-14

HA HA HA HA HA HA!

LAISSE-LÀ S'ÉLOIGNER DE TROIS MÈTRES ENVIRON ET LANCE-LUI TON GANT.

NOUS SOMMES VENUS ASSISTER À LA PARTIE, CHARLES. FAUT-IL DES BILLETS ?

NON, ASSEYEZ-VOUS LÀ-BAS, LE LONG DE LA CLÔTURE.

IL NOUS A RELÉGUÉS AUX MAUVAISES PLACES !

7-15

C'EST LA PREMIÈRE FOIS QUE J'ASSISTE À UNE PARTIE DE BASEBALL.

VEUX-TU UNE BOISSON FRAÎCHE ?

AVEC PLAISIR.

S'IL VOUS PLAÎT, DEUX BOISSONS !

7-16

TON GRAND-PÈRE JOUE-T-IL ENCORE AU GOLF ?

OUI MAIS, IL A RENONCÉ À COMPTER L'ÉQUIVALENT DE SON ÂGE. DÉSORMAIS, IL TENTE DE COMPTER L'ÉQUIVALENT DE LA TEMPÉRATURE.

7-17

IL FAISAIT CHAUD HIER. IL A CUMULÉ UNE MARQUE DE 102.

PEANUTS®

Par SCHULZ

VOICI LE HÉROS QUI SURVOLE LES LIGNES ENNEMIES DANS SON CHASSEUR.

DE QUOI S'AGIT-IL ? UN TRIPLAN QUI PIQUE DU NEZ EN PROVENANCE DU SOLEIL !

C'EST LE BARON ROUGE ! IL LANCE LE TIR EN DIRECTION DE MON AÉROPLANE !

JE SAUTE DE L'AVION EN FLAMMES.

7-18

www.snoopy.com

JE FILE À TRAVERS LE *NO MAN'S LAND* AFIN DE TROUVER REFUGE À L'AÉRODROME.

LE GÉNÉRAL ME DÉCERNERA UNE MÉDAILLE POUR MA BRAVOURE. PEUT-ÊTRE L'ÉTOILE DE BRONZE ?

OÙ DONC ÉTAIS-TU PASSÉ ? J'AI QUELQUE CHOSE POUR TOI...

LA GAMELLE DE BRONZE !

T'AS RAISON, LE TEMPS FILE TROP VITE.

MÊME LES NUITS FILENT TROP VITE. TU DEVRAIS FAIRE COMME MOI.

DORMIR PLUS LENTEMENT.

7-19

J'AI TARTINÉ DE LA GELÉE DE RAISINS SUR MA RÔTIE ET J'USE DE PRÉCAUTION POUR QU'ELLE NE DÉGOULINE PAS.

MAIS CELA SUFFIT-IL ? NON ! ELLE PÉNÈTRE LES PETITS TROUS DU PAIN ET SALIT MON T-SHIRT !

LA GELÉE DE RAISINS A UNE DENT CONTRE MOI.

7-20

IL Y A LONGTEMPS QUE JE T'AI ENTENDU CHANTER.

7-21

LES OISEAUX DOIVENT CHANTER. C'EST CE QU'ON ATTEND D'EUX.

NON, JE N'AI PAS DE DEMANDES PARTICULIÈRES.

COMMENT PEUX-TU M'IMPLORER DU REGARD ALORS QUE TU IGNORES CE QUE JE MANGE ?

7-22

COMMENT PEUX-TU RESTER ASSIS LÀ, À ESPÉRER UNE MIETTE, UN PETIT BOUT, UN MORCEAU, PEU IMPORTE.

DISONS UNE POIGNÉE.

NON, MONSIEUR, JE NE PEUX SORTIR. JE DOIS M'EXERCER AU VIOLON.

TU CHERCHES À EN FAIRE TROP, MARCIE. UN JOUR, TU PERDRAS LA TÊTE.

TU AS PEUT-ÊTRE RAISON. JE VAIS PRENDRE UN PEU D'AIR.

TU VOIS ? SI TU TE RELAXES DE TEMPS EN TEMPS, TU NE PERDRAS PAS LA TÊTE.

7-23

JE CROIS QUE C'EST DE LA PÂTÉE POUR CHIEN, POURQUOI ?

7-24

NON, JE NE MANGE PAS, JE DÎNE.

PEANUTS.

Par SCHULZ

VOICI UNE BALLE ROUGE. T'EN SOU-VIENDRAS-TU ?

JE VAIS LANCER CETTE BALLE À L'AUTRE BOUT DU MONDE ; AUSSI, SOIS PRUDENT EN ALLANT LA CHERCHER.

PRENDS GARDE DE NE PAS TOMBER DANS LE VIDE LÀ OÙ LA TERRE S'ACHÈVE.

7-25

ALORS ?

JE PRENDS GARDE.

GRAND-MÈRE DIT QUE LORSQU'ON S'ÉVEILLE AU MATIN, IL FAUT REMERCIER LE JOUR NAISSANT ET PROJETER DE POSER UN GESTE POSITIF AU COURS DE LA JOURNÉE.

COMME DE NOURRIR LE CHIEN.

DOIS-JE COURIR POUR ALLER CHERCHER SA GAMELLE OU ATTENDRE QUE CESSE LA PLUIE ?

VAS-Y.

JE VAIS ATTENDRE LA FIN DE LA PLUIE.

NON, VAS-Y.

PAR CONTRE, JE NE PEUX LAISSER MON CHIEN MOURIR DE FAIM.

ALORS VA.

PAR CONTRE, INUTILE DE ME TREMPER JUSQU'AUX OS.

VA QUAND MÊME.

FAIS-MOI SIGNE QUAND IL NE PLEUVRA PAS.

«ET LA PLUIE TOMBA SUR TERRE PENDANT QUARANTE JOURS ET QUARANTE NUITS».

INCROYABLE.

QUI EST SORTI DANS LE JARDIN POUR RENTRER LA GAMELLE DU CHIEN ?

SI LA PLUIE NE CESSE PAS, JE NE POURRAI PAS ALLER CHERCHER TA GAMELLE.

AUSSI, JE VAIS ME SACRIFIER, ENFILER MON IMPERMÉABLE ET BRAVER LES ÉLÉMENTS !

PAR LA SUITE, NOUS FERONS LA REMISE DES MÉDAILLES.

TIENS ! JE SUIS SORTIE SOUS LA PLUIE BATTANTE AFIN DE RENTRER TA GAMELLE.

VOICI TON PETIT-DÉJEUNER. J'ESPÈRE QUE TU L'APPRÉCIERAS.

ENCORE DE LA PÂTÉE POUR CHIEN ?

GRAND-MÈRE DIT QU'AVANT DE S'ENDORMIR IL FAUT REMERCIER LE JOUR QUI S'ACHÈVE.

ET ESPÉRER QU'ON NE RÊVERA PAS DE CHATS TOUTE LA NUIT.

PEANUTS Par SCHULZ

IL NOUS RÉCLAME ?

OUI, MON GÉNÉRAL.

LE GÉNÉRAL WASHINGTON SOUHAITE QUE NOUS REMETTIONS CE MESSAGE À THOMAS PAINE.

«CHER AMI, JE M'INQUIÈTE DE VOTRE BIEN-ÊTRE. VOUS PORTEZ-VOUS BIEN ? CONFIEZ-MOI VOS PENSÉES».

M. PAINE, UN MESSAGE DU GÉNÉRAL. Y A-T-IL UNE RÉPONSE ?

«NOUS SOMMES À UNE ÉPOQUE ÉPROUVANTE POUR L'ÂME DES HOMMES».

© 1999 United Feature Syndicate, Inc.

C'EST TROP DÉPRIMANT.

JE VAIS RÉCRIRE UN PEU CETTE PHRASE.

8-1

www.snoopy.com

TENEZ, MON GÉNÉRAL.

TU VOIS ? MON MESSAGE L'A REMONTÉ.

J'AI ÉCRIT : «PAS DE PRO-BLÈME. BONNE JOURNÉE !»

SCHULZ

95

Cher correspondant.

TU N'AS PAS DE CORRES-PONDANT.

NON ?

ALORS, JE N'AI PAS À LUI ÉCRIRE DE LETTRE ?

JE NE CROIS PAS.

TANT PIS POUR TOI, L'AMI !

DÉSIRES-TU ACHETER UNE AQUARELLE REPRÉSENTANT TON CHIEN ?

CETTE FEUILLE EST BLANCHE.

J'AI MANQUÉ D'EAU.

MERCI, ÉMILIE.

C'ÉTAIT ÉMILIE DU STUDIO DE DANSE. ELLE DIT QU'ELLE AIME DANSER AVEC MOI CAR JE DANSE COMME FRED ASTAIRE.

FRED ASTAIRE OU FRED CAILLOU ?

© 1999 United Feature Syndicate, Inc.

8/9

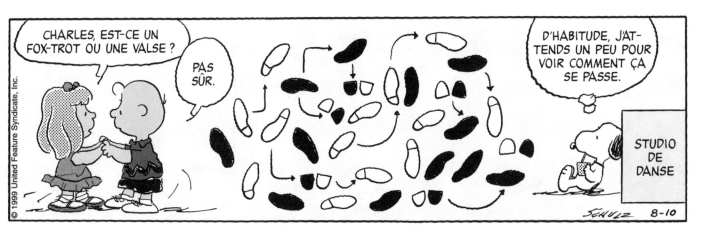
CHARLES, EST-CE UN FOX-TROT OU UNE VALSE ?

PAS SÛR.

D'HABITUDE, J'ATTENDS UN PEU POUR VOIR COMMENT ÇA SE PASSE.

STUDIO DE DANSE

© 1999 United Feature Syndicate, Inc.

SCHULZ 8-10

8-11

© 1999 United Feature Syndicate, Inc.

OUI, MADAME, C'EST MON CHIEN. LES CHIENS NE PEUVENT SUIVRE DE COURS DE DANSE ?

DANS CE CAS, NOUS DEVONS RENTRER.

NOUS AVONS UNE ENTENTE. IL M'ACCOMPAGNE OÙ JE VAIS ET JE L'ACCOMPAGNE OÙ IL VA.

SAUF LORSQU'IL PILOTE SON AÉROPLANE, MAIS NE CHERCHEZ PAS À COMPRENDRE.

NOUS DEVONS PARTIR, ÉMILIE. ELLE DIT QUE LES CHIENS SONT INTERDITS DANS LE STUDIO DE DANSE.

NOUS REVERRONS-NOUS UN JOUR, CHARLES ?

UN JOUR, ÉMILIE.

NOUS NOUS REVERRONS À UN FEU VERT OU AU BOUT DU QUAI DE DAISY.

DIS-LUI D'EN ENVOYER D'AUTRES.

AINSI, APRÈS QUE TU AIES CONSTRUIT TON NID, L'ARBRE EST TOMBÉ ?

DEBOUT FRÉROT !

DEBOUT ! DEBOUT ! POURQUOI ME RÉVEILLES-TU ?

J'AI PENSÉ QUE TU VOUDRAIS PARTIR À BONNE HEURE.

POURQUOI ? JE NE VAIS NULLE PART.

DOMMAGE, TU AURAIS ÉTÉ LE PREMIER SUR PLACE.

8-16

REGARDE CE QUE J'AI TROUVÉ. UN AVIRON !

8-17

CELA PROUVE MA THÉORIE SELON LAQUELLE CE DÉSERT ÉTAIT SOUS L'EAU.

OU MON AUTRE THÉORIE SELON LAQUELLE QUELQU'UN A PERDU UN AVIRON.

SI J'AI TROUVÉ UN AVIRON, IL PEUT Y EN AVOIR UN AUTRE DANS LES ENVIRONS, PAS VRAI ?

ET S'IL Y A DEUX AVIRONS, IL POURRAIT Y AVOIR UNE CHALOUPE, NON ?

8-18

CE GENRE DE CHOSE NE T'INTÉRESSE AUCUNEMENT, N'EST-CE PAS ?

POURQUOI ES-TU ASSIS À NE RIEN FAIRE ?

VOICI UN LIVRE ! TU SAIS CE QU'EST UN LIVRE, NON ?

RIEN MAMAN. JE L'INCITE À LIRE DAVANTAGE.

8-19

QU'EST-CE QUE C'EST ?

UN SONDAGE SUR LA FAMILLE.

8-20

JE DOIS RÉPONDRE À DES QUESTIONS SUR MES FRÈRES ET SŒURS.

QUELLE EST MA COTE ?

JE T'AI DONNÉ UNE MENTION HONORABLE.

NAVRÉE D'AVOIR RATÉ CELLE-LÀ, ENTRAÎNEUR.

UN ENTRAÎNEUR PEUT PARDONNER UNE ERREUR MÉCANIQUE.

8-21

MAIS IL NE PEUT PARDONNER UNE ERREUR PSYCHOLOGIQUE.

JE SUIS AMOUREUSE DU RECEVEUR.

C'EST UNE ERREUR PSYCHOLOGIQUE !

103

COMBIEN DE TEMPS RESTE-T-IL AVANT LA RENTRÉE DES CLASSES ?

JE NE SAIS PAS... SEIZE JOURS, JE CROIS.

8-23

ÇA FAIT COMBIEN DE MINUTES ?

LORSQU'ON REÇOIT UN DIPLÔME D'ÉTUDES SECONDAIRES, QUELQU'UN NOUS OFFRE-T-IL UN VÉLO ?

NON, JE NE CROIS PAS.

8-24

GRAND-PÈRE DIT QU'IL A REÇU UN STYLO LORSQU'IL A PASSÉ SON DIPLÔME.

J'AIMERAIS BIEN UN VÉLO ROUGE.

IL DIT QUE SON STYLO ÉTAIT ROUGE.

8-25

JE SUIS TOMBÉ SUR TON TROTTOIR ET J'AI MAL AU GENOU.

PAR CHANCE, UN CÉLÈBRE CHIRURGIEN ORTHOPÉDISTE SE TROUVE PARMI NOUS.

IL VAUDRAIT PEUT-ÊTRE MIEUX LE TRANSPORTER AUX URGENCES.

IMPOSSIBLE ! J'AI OUBLIÉ OÙ ELLES SE TROUVENT.

BONNE NOUVELLE ! LE MÉDECIN NE JUGE PAS NÉCESSAIRE D'OPÉRER.

EN FAIT, UN BLEU AU GENOU EST CHOSE RÉPANDUE.

8-27

DES GAMINS FONT DES CHUTES SUR LE TROTTOIR TOUT L'ÉTÉ.

REVIENS À L'HIVER QUAND TU TOMBERAS SUR LA GLACE.

LEQUEL D'ENTRE VOUS A PRIS LA BANDE DESSINÉE QUI SE TROUVAIT SUR LA TABLE ?

TIENS, NAVRÉ. J'IGNORAIS QU'ELLE T'APPARTENAIT.

8-28

J'IMAGINE QUE TU AS LU TOUT CE QU'IL Y AVAIT À EN LIRE.

© 1999 United Feature Syndicate, Inc.

106

PEANUTS

Par SCHULZ

CONTRE QUI JOUONS-NOUS ? POURQUOI JOUONS-NOUS ? À QUEL JEU JOUONS-NOUS ?

HÉ L'ENTRAÎNEUR, UNE QUESTION.

www.snoopy.com

AUJOURD'HUI, JE JOUE AU CHAMP DROIT OU À L'AILE DROITE ?

8-29

JE T'AI VU JOUER AU CHAMP DROIT ALORS JE PENSE QUE TU SERAIS GÉNIALE À L'AILE DROITE.

© 1999 United Feature Syndicate, Inc.

À L'AILE DROITE, HEIN ? ÇA TOMBE SOUS LE SENS.

AS-TU L'ÉQUIPEMENT QU'IL TE FAUT ?

SI ! JE SUIS TOUJOURS PRÊTE À TOUT.

JE ME DEMANDE S'IL SE MOQUE DE MOI.

SCHULZ

L'ENNUI LORSQU'ON EST UN GAMIN, C'EST QUE PERSONNE NE VOUS DEMANDE JAMAIS VOTRE OPINION.

POURQUOI NE CESSES-TU PAS DE BAVARDER ET NE VAS-TU PAS TE COUCHER ?

ME DEMANDES-TU MON OPINION ?

BONJOUR ! JE FAIS UN SONDAGE D'OPINION.

D'ACCORD ! QUE VEUX-TU SAVOIR ?

NON, POSE-MOI UNE QUESTION ET JE TE DONNERAI MON OPINION.

N'AS-TU RIEN DE MIEUX À FAIRE ?

JE N'AI PAS D'OPINION À CE SUJET.

VOICI MON OPINION : JE VAIS LANCER LA BALLE ET TU IRAS PROBABLEMENT LA CHERCHER.

C'EST MON OPINION.

SELON MON OPINION, SI TU LANCES CETTE BALLE UNE FOIS DE PLUS, TU NE LA REVERRAS PLUS JAMAIS.

OUI MONSIEUR, JE VEUX ACHETER DES FOURNITURES SCOLAIRES.

TU POURRAIS PEUT-ÊTRE LES ÉCHANGER CONTRE CELLES DE L'ANNÉE DERNIÈRE CAR TU NE LES AS PRESQUE PAS UTILISÉES.

VOUS NE DEVRIEZ PAS FAIRE ENTRER LES TARÉS DANS VOTRE BOUTIQUE, MONSIEUR.

DIS-MOI UN PEU COMMENT TU FERAS POUR ABOYER DEVANT UN CAMBRIOLEUR AVEC TA GAMELLE DANS LA GUEULE.

SI JE SAIS QU'UN CAMBRIOLEUR VIENT, JE DÎNERAI PLUS TÔT.

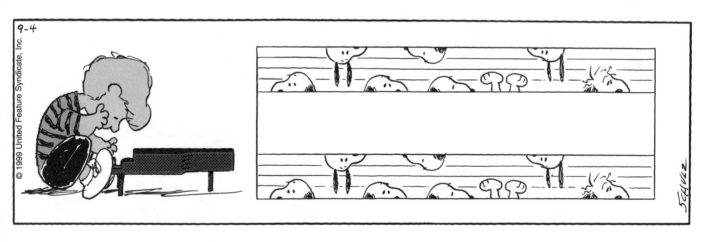

C'EST UNE LEÇON QUE J'AI APPRISE...

LES BIENS TERRESTRES PEUVENT ÊTRE UN FARDEAU.

LA VIE NE SE RÉSUME PAS À POSSÉDER DES CHOSES.

TU VOIS CE CHAPEAU ? MON PÈRE ME L'A OFFERT IL Y A LONGTEMPS.

TU VOIS CES BASKETS ? CE SONT CELLES DE LA SOURIS MICKEY. MON AMI MICKEY ME LES A OFFERTES.

CE CHAPEAU ET CES BASKETS SONT LES SEULS BIENS QUE JE POSSÈDE.

© 1999 United Feature Syndicate, Inc.

UNE ROCHE ?

NON, JE NE POSSÈDE MÊME PAS CETTE ROCHE.

JE LA LOUE AU MOIS.

9-5

110

RENDS-MOI SERVICE... VA ANNONCER AU MONDE ENTIER QUE JE SUIS SUR LE POINT DE ME LEVER.

9-6

LE MONDE ENTIER S'EN MOQUE BIEN.

POURQUOI SUIS-JE ICI ?

SI TU L'IGNORES, C'EST QUE TU NE DEVRAIS PAS ÊTRE ICI.

SI JE NE SUIS PAS ICI, OÙ DEVRAIS-JE ME TROUVER ?

OÙ TU VEUX.

9-7

POURQUOI T'AI-JE DEMANDÉ POURQUOI JE SUIS ICI ?

OUI MADAME, UNE PORCHERIE.

QUAND JE SUIS PARTI DE CHEZ MOI CE MATIN, LA MAISON ÉTAIT PLUTÔT PROPRE.

... ENFIN PAS MAL... RELATIVEMENT... À LA LIMITE DE LA PROPRETÉ...

9-8

D'UNE SALETÉ REPOUSSANTE.

NOUS SOMMES CENSÉS DESSINER DES FLEURS.

PAS MOI.

VOICI TARZAN QUI FOUT DES BAFFES À LA SOURIS MICKEY PENDANT QUE LE CANARD DAFFY RÈGLE SON COMPTE À TARZAN.

JE FAIS DE LA B.D. DE SOUS-SOL.

UNDERGROUND.

SI TU VEUX.

MONSIEUR, MADEMOISELLE M'A DEMANDÉ DE VOUS MONTRER MES DESSINS. ELLE LES JUGE TROP VIOLENTS.

TARZAN SE BAT CONTRE LA SOURIS MICKEY MAIS LA LUTTE EST INÉGALE DU FAIT QU'UN SINGE ET UN ÉLÉPHANT LUI PRÊTENT MAIN FORTE.

OUI, J'AI EU DU MAL À DESSINER CAR LE PETIT GROS ASSIS À MES CÔTÉS LANÇAIT MES CRAYONS PARTOUT.

ALORS POURQUOI VOULIEZ-VOUS ME VOIR ? PARCE QUE JE L'AI POUSSÉ EN BAS DE SA CHAISE ?

JE L'AI !

ELLE EST À MOI ! JE L'AI !

JE L'AI !

QUI ES-TU ?

9-12

www.snoopy.com

LE RECEVEUR.

OH, C'EST VRAI ! BONJOUR !

ET ALORS, CETTE BALLE HAUTE ?

CETTE QUOI ?

BONK !

JE CROIS QUE JE VAIS RENTRER CHEZ MOI, NOURRIR MON CHIEN, SOUPER SUR LE POUCE ET ME COUCHER TÔT.

MADEMOISELLE DIT QUE NOUS DEVONS PEINDRE CES FLEURS.

JE NE PEINS PAS DE FLEURS. JE DESSINE DES B.D. UNDERGROUND.

REGARDE ! VOICI UN COSMONAUTE QUI COMBAT UN MONSTRE MAUVE SUR MARS.

9-13

OÙ SONT LES FEMMES ? JE N'EN VOIS AUCUNE.

ELLES ONT LES CHEVEUX LONGS, C'EST ÇA ?

JE CROYAIS QUE TU NE PEIGNAIS PAS DE FLEURS.

CE SONT DES FLEURS JUPITÉRIENNES. ELLES ATTAQUENT MINNEAPOLIS MAIS TARZAN VIENT À LA RESCOUSSE.

J'IGNORAIS QUE TARZAN ÉTAIT ALLÉ À MINNEAPOLIS.

IL S'Y RENDAIT PATINER EN HIVER.

9/14

JE CRAINS QUE TU NE SOMBRES DANS LA DÉMENCE.

JE DEVRAI ENGAGER QUELQU'UN POUR FAIRE LE LETTRAGE.

REGARDE, MADEMOISELLE A AFFICHÉ TOUTES LES AQUARELLES QUE NOUS AVONS PEINTES.

À L'AUTRE EXTRÉMITÉ DE LA CLASSE, LÀ OÙ PERSONNE NE PEUT LE VOIR, IL Y A LE DESSIN UNDERGROUND QUE TU AS FAIT.

IL EST À L'ENVERS.

9-15

114

MERCI ! MAIS JE N'ESPÉRAIS PAS QUE TU LA FASSES AUTOGRAPHIER.

CROIS-TU QU'IL SE SOUVIENDRA DE NOUS ?

NOUS SOMMES SES FRÈRES, NON ?

NOUS VOILÀ !

ANDY ! OLAF ! JE CROYAIS QUE VOUS VIVIEZ CHEZ SPIKE.

NOUS NOUS SOMMES ÉGARÉS EN CHEMIN.

NOUS NOUS SOMMES TROMPÉS TRENTE-TROIS FOIS DE ROUTE.

9-20

NOUS AVONS PRIS LA DIRECTION DE L'OUEST.

COMMENT SAVIEZ-VOUS QU'IL S'AGIS-SAIT DE L'OUEST ?

QUELQU'UN NOUS A DIT QUE LE SOLEIL SE COUCHE À L'OUEST.

MAIS ALORS IL FAIT SOMBRE.

NOUS N'Y AVIONS PAS SONGÉ.

9-21

Cher Snoopy,
Qu'est-il advenu de Andy et Olaf ?

Je les attends depuis quelque temps.

La température est idéale.

Le ciel est bleu et le soleil radieux.

9-22

TENEZ ! UNE LETTRE DE NOTRE FRÈRE SPIKE !

IL VEUT SAVOIR CE QUE VOUS DEVENEZ.

IL DIT QUE LA TEMPÉRATURE EST IDÉALE ET IL AJOUTE...

«CERTAINS AFFIRMENT QU'UN CHIEN NE PEUT ÉCRIRE UNE LETTRE. ET QUE CROYEZ-VOUS QUE CE SOIT ?»

9-23

CHARLIE BROWN, TU AS DES CHIENS DE TROP ! SONT-ILS GRATUITS ? PUIS-JE EN PRENDRE UN ?

9-24

MAMAN, REGARDE ! DES CHIENS GRATUITS !

NAVRÉ, MAMAN NE VEUT PAS QUE J'AIE DE CHIEN.

LA VIE EST FAITE DE DÉCEPTIONS.

ÇA VA CHAUFFER ! LE GAMIN À LA TÊTE RONDE DIT QUE VOUS PASSEZ VOS JOURNÉES À JOUER AUX CARTES.

9-25

IL VEUT SAVOIR CE QUE VOUS FERIEZ SI UN CAMBRIOLEUR SE PRÉSENTAIT.

NOUS L'INVITE-RIONS À JOUER AU PAQUET VOLEUR.

PUIS, ALORS QU'IL NE REGARDERAIT PAS, NOUS LUI VOLERIONS SON PAQUET.

118

ES-TU PRÊT ?

VIENS-TU À L'ÉCOLE OU PASSERAS-TU LA JOURNÉE CACHÉ SOUS TON LIT ?

GRAND-PÈRE DIT QU'IL SUFFIT DE SAVOIR QU'IL FAUT METTRE UN S AU PLURIEL.

ET QU'EN EST-IL DE LOUIS XIV ET DE FLORENCE NIGHTINGALE ?

9-26

GRAND-PÈRE DIT QU'ON N'EST PAS OBLIGÉ DE SAVOIR CE GENRE DE CHOSE. METTRE UN S AU PLURIEL, VOILÀ TOUT CE QU'IL FAUT SAVOIR.

JE SORTIRAI POUR LA REMISE DES DIPLÔMES.

D'ACCORD ! ON SE REVERRA DANS DOUZE ANS.

QUE FAIS-TU ICI ? QUELQU'UN A DIT QUE TU TE TERRAIS SOUS TON LIT.

C'EST LONG DOUZE ANS. QUI ÉTAIT FLORENCE NIGHTINGALE ?

PARTIS ! MES FRÈRES SONT PARTIS !

QU'ADVIENDRA-T-IL D'EUX ? ILS NE PEUVENT ERRER SANS FIN.

FUTÉS COMME ILS SONT, ILS TROUVERONT BIEN QUELQUE CHOSE D'UTILE À FAIRE.

TU SAIS QUOI ? NOUS DEVRIONS NOUS ACHETER DES BANJOS.

VITE MARCIE ! IL ME FAUT LES RÉPONSES !

POURQUOI TANT DE HÂTE ?

JE VEUX TERMINER LA PREMIÈRE.

SI TU REMETS TON EXAMEN EN PREMIER, TU AS DROIT À UNE NOTE EN PRIME.

UNE NOTE EN PRIME SUR D MOINS ?

TU ES SINGULIÈREMENT TARÉE, MARCIE !

QU'EST-CE QUE C'EST ?

UN APPAREIL PHOTO SOUS-MARIN.

IL PREND DES PHOTOS SOUS L'EAU.

JE PENSE QU'IL NE FONCTIONNE PAS.

120

QUE DESSINES-TU À PRÉSENT ?

DES LAPINS QUI SE BALANCENT AUX BRANCHES DES ARBRES.

LES LAPINS NE SE BALANCENT PAS AUX BRANCHES.

COMMENT FONT-ILS POUR SE DÉPLACER ?

9-30

ILS SAUTENT.

JE NE SAIS PAS DESSINER UN SAUT.

MERCI.

LE DENTISTE DIT QUE JE SUIS UN BON PATIENT ET M'A REMIS UNE BROSSE À DENTS.

J'ESPÉRAIS UN VÉLO OU UN CHIEN.

10-1

TU LANCERAS LE BALLON, MARCIE, ET J'INTERCEPTERAI LA PASSE.

VAS-TU JOUER AU CHAMP AVANT OU AU CHAMP ARRIÈRE ?

LANCE LE BALLON.

10-2

*BONK!

NAVRÉE, MONSIEUR. J'AI FAIT UNE PASSE AU CHAMP AVANT ALORS QUE TU ÉTAIS AU CHAMP ARRIÈRE.

121

PEANUTS

Par SCHULZ

Le Cowboy solitaire, par Snoopy.

Le soleil se levait à l'horizon alors que le cowboy rentrait à son ranch.

Soudain, il aperçut quelques preneurs de vaches.

QU'EST-CE QUE DES «PRENEURS DE VACHES» ?

DES GENS QUI KIDNAPPENT LES VACHES D'AUTRUI.

C'EST TROP IDIOT. JE NE PEUX LIRE ÇA !

LE PROCHAIN CHAPITRE EST LE MEILLEUR. « LE HÉROS BLESSÉ JONCHE LE SOL. »

Les merles tournoyaient au-dessus de lui.

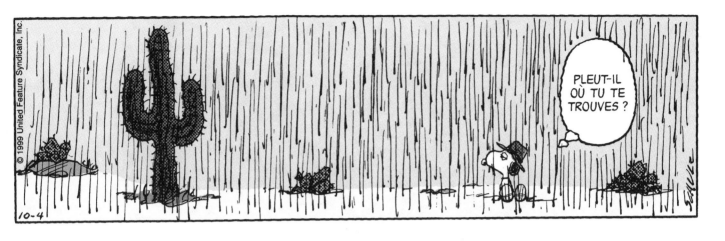

JE PEUX FAIRE ÇA.

ÇA S'INTITULE : «BOXE FRANÇAISE-SAVATE POUR LES NULS».

FRAPPE ET PUNCH ! FRAPPE ET PUNCH !

COUP GAUCHE !

SAVATE !

FRAPPE, FRAPPE ! PUNCH, PUNCH !

FRAPPE, PUNCH, COUP DROIT !

SAVATE !

NON, SELON CE QUE JE LIS, ÇA NE SIGNIFIE PAS QUE TU AS GAGNÉ.

10-10

 VOICI MON EXPOSÉ SUR LE NIL.

 GRAND-MÈRE DIT QU'ELLE N'A JAMAIS VU LE NIL. ALORS COMMENT SAIT-ON QU'IL EXISTE ?

 GRAND-MÈRE DIT QUE LORSQU'ELLE ÉTAIT TRÈS JEUNE...

 MADAME ?

 OUI, JE FAIS DES LIENS VERS LA FIN.

10-14

 MON EXPOSÉ N'A PAS PLU À L'ENSEIGNANTE.

 JE LA SOUPÇONNE DE L'AVOIR TROUVÉ IDIOT.

POURQUOI DIS-TU CELA ?

 ELLE A DIT QUE C'ÉTAIT IDIOT.

10-15

 MON VIEUX GANT FIDÈLE, L'HEURE EST VENUE DE TE REMISER JUSQU'À L'AN PROCHAIN.

QUICONQUE BAVARDE AVEC UN OBJET INANIMÉ DOIT ÊTRE CINGLÉ.

QUE FAIS-TU LÀ ? TU DEVRAIS ÊTRE DANS LA CUISINE.

10-16

127

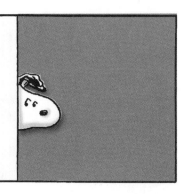

PEANUTS.

Par SCHULZ

PRENDS GARDE, CHIEN, NE TOUCHE PAS MA COUVERTURE, SINON...

SINON ?

SINON QUOI ?

CLOMP!

OUILLE !

10-17

AAUGH!

LES CHIENS NE COMPRENNENT PAS «SINON».

129

VEUX-TU CE DESSIN QUE J'AI FAIT D'UNE MONTAGNE ?

MERCI ! JE VAIS LE METTRE AU MUR.

UN JOUR, IL VAUDRA PEUT-ÊTRE CHER.

10-21

JE LE REGARDERAI ENCORE DEMAIN.

AS-TU MIS MON DESSIN AU MUR ?

NON, NOUS AVONS DÉCIDÉ DE LE METTRE AU REBUT.

IL EST ENCORE DANS LA POUBELLE. RESTE-LÀ ET JE TE LE FAIS PARVENIR.

10-22

UNE ŒUVRE D'ART NE DEVRAIT JAMAIS ROULER PAR TERRE.

10-23

N'ESSAYEZ JAMAIS DE DÎNER CINQ MINUTES AVANT L'HEURE.

LUCY !

PEANUTS.

MAMAN DIT QUE LE DÉJEUNER EST SERVI.

MOI, JE TIENS LE BALLON, CHARLIE BROWN, ET TU ACCOURRAS AFIN DE LE BOTTER.

ELLE DIT DE VENIR MAINTENANT.

OH FLÛTE !

ÇA VA. NOUS JOUERONS AU BALLON UNE AUTRE FOIS.

NON, RERUN PEUT PRENDRE MA PLACE.

MOI ?

© 1999 United Feature Syndicate, Inc.

CETTE FOIS, JE RÉUSSIRAI. JE VAIS BOTTER LE BALLON. RERUN NE L'ENLÈVERA PAS AU DERNIER MOMENT. IL EN SERAIT INCAPABLE.

10-24

ATTENTION ! ME VOICI !

QUE S'EST-IL PASSÉ ? AS-TU ENLEVÉ LE BALLON ? L'A-T-IL BOTTÉ ? QUE S'EST-IL PASSÉ ?

TU NE SAURAS PAS.

WOIN !

www.snoopy.com

QUELLE ESPÈCE DE CHIEN COURSIER TU FAIS ?

TIENS ! LIVRE CETTE LETTRE SUR-LE-CHAMP !

SURTOUT, N'EN FAIS PAS UN AVION DE PAPIER !

© 1999 United Feature Syndicate, Inc.

10-28

CHUCK, OÙ DONC SE TROUVE TON CHIEN COURSIER ?

AUCUNE DE MES LETTRES N'A ÉTÉ LIVRÉE.

IL NE FAIT PLUS LE CHIEN COURSIER. IL S'EST ENRÔLÉ DANS LA LÉGION ÉTRANGÈRE.

10-29

© 1999 United Feature Syndicate, Inc.

PARDON, MADEMOISELLE. ON ME CONVOQUE AU FORT ZINDERNEUF. AU REVOIR ET À BIENTÔT !

OUI, UN INSTANT, JE VAIS VOIR...

10-30

AS-TU UN COUSIN EN ARIZONA ?

© 1999 United Feature Syndicate, Inc.

133

PEANUTS.
Par Schulz

J'AI PEINE À CROIRE QUE JE SOIS AUSSI STUPIDE !

POURQUOI L'AI-JE CRU ?

10-31

QUI DONC ?

LINUS ! POURQUOI L'AI-JE CRU ?

COMIX

SI TU RESTES LÀ DANS LE CARRÉ DE POTIRONS, TU SERAS PEUT-ÊTRE LA PREMIÈRE À APERCEVOIR LE POTIRON MASQUÉ...

ET TU L'AS CRU ?

COMMENT AURAIS-JE PU FAIRE AUTREMENT ? NOUS AVONS ENTENDU UN BRUIT.

ÉCOUTE ! TU ENTENDS ? TU VOIS QUELQUE CHOSE ?

OUI, JE VOIS QUELQUE CHOSE.

EST-CE LE POTIRON MASQUÉ ?

NON ! C'EST UNE ZAMBONI !

TU ES LA DERNIÈRE. AS-TU ÉTEINT AVANT DE PARTIR ?

J'APPRÉCIE COMMENT TU TRANCHES LES SANDWICHES À LA DIAGONALE, MARCIE. C'EST LA GRANDE CLASSE.

LES TRANCHER AU CENTRE MONTRE UNE ABSENCE D'ÉDUCATION.

BIEN ENTENDU, LA MEILLEURE MÉTHODE CONSISTE À REPLIER LA TRANCHE EN DEUX AFIN DE CONSERVER LA GARNITURE À L'INTÉRIEUR.

TU ES SANDWICHMENT TARÉE, MONSIEUR.

JE SUIS UNE PURISTE, MARCIE.

J'AI BESOIN D'AIDE AFIN DE RÉPONDRE À CES QUESTIONS.

D'ABORD, LIS LE CHAPITRE ET ENSUITE NOUS RÉPONDRONS AUX QUESTIONS.

LIRE LE QUOI ?

© 1999 United Feature Syndicate, Inc.

www.snoopy.com

 PARFOIS, EN FIXANT LA PORTE DES YEUX, LE DÎNER ARRIVE PLUS TÔT.

 SNOOPY..

 ÇA A MARCHÉ ! ÇA A MARCHÉ ! ÇA A MARCHÉ ! ÇA A MARCHÉ !

11-4

 JE SUIS VENU TE DIRE QUE TON DÎNER SERA SERVI PLUS TARD CE SOIR.

ÇA N'A PAS MARCHÉ !

 PSST FRANKLIN ! QU'AS-TU RÉPONDU À LA CINQUIÈME QUESTION ?

IL N'Y A PAS DE CINQUIÈME QUESTION. C'ÉTAIT L'EXERCICE D'HIER.

 VRAIMENT ? JE CROYAIS AVOIR FAIT CE DEVOIR.

TU NE L'AS PEUT-ÊTRE PAS REMIS.

 T'AS RAISON. LE VOICI !

 C'EST CELUI OÙ J'AI MAL ÉCRIT MON NOM.

11-5

11-6

 CE TYPE À LA TÉLÉ DIT QUE LES PÈRES ET LEURS FILS NE PARLENT QUE DE SPORT.

DE QUOI POUR-RAIENT-ILS PAR-LER À PART ÇA ?

DE «TESS D'URBERVILLES».

D'ACCORD, TROIS SANS COUPER.

DÉSOLÉ LES GARS ! NOUS TERMINERONS CETTE DONNE À MON RETOUR.

LE MAÎTRE PILOTE SNOOPY AU RAPPORT, MON CAPITAINE.

OUI, MON CAPITAINE. ÇA S'EST MAL PASSÉ. AURIEZ-VOUS L'OBLIGEANCE DE M'INDIQUER OÙ J'AI MAL AGI.

IL DIT QUE J'AURAIS DÛ PRÉSENTER UN PETIT CŒUR À LA REINE.

Cher Harry Potter.
Je suis ta plus grande fan.

Voudrais-tu venir dîner chez nous ?

HARRY POTTER EST UN PERSONNAGE FICTIF.

UNE AUTRE FOIS, HARRY.

11-9

OÙ EST RERUN ?

IL NE SE SENT PAS BIEN. IL DIT QU'ÊTRE UN CHIEN, IL RAMPERAIT SOUS LA GALERIE.

C'EST CE QUE GRAND-PÈRE NOUS DISAIT TOUJOURS : SI TU TE SENS MAL, RAMPE SOUS LA GALERIE.

ON M'A DIT QU'HIER TU ÉTAIS MALADE.

OUI MAIS ÇA VA MAINTENANT.

LE PETIT GROS A ESSAYÉ DE S'ASSEOIR À TA PLACE EN TON ABSENCE.

JE L'AI ROSSÉ AVEC UNE BOÎTE D'AQUARELLES.

JE ME DEMANDAIS POURQUOI SON T-SHIRT ÉTAIT ROUGE, BLEU, VERT ET JAUNE.

138

UNE AUTRE RATION A ÉTÉ BOUFFÉE EN TON HONNEUR, ERNIE. JAMAIS NOUS NE T'OUBLIERONS !

11-11 11-11 IN MEMORIAM ERNIE PYLE

JE ME DEMANDAIS SI TU N'ADRESSERAIS PAS MES CARTES DE NOËL À MA PLACE.

11-12

ET PEUT-ÊTRE FAIRE MES COURSES ET EMBALLER TOUS LES PRÉSENTS.

JE NE CROIS PAS.

TU N'AS PAS L'ESPRIT DES FÊTES, HEIN ?

TU T'APPROCHES DE CETTE COUVERTURE D'UN POUCE, CHIEN, ET TU LE REGRETTERAS LE RESTE DE TES JOURS.

DEUX POUCES, UN POUCE ET DEMI...

UN POUCE ET QUART...

UN DEMI POUCE.

SCHULZ 11-13

139

Le chien n'était pas heureux de la tournure des choses dans la famille.

«À la prochaine élection, songea-t-il, je me présenterai comme chef de famille.»

Malheureusement, lorsque l'élection eut lieu, il ne reçut qu'un seul vote.

COMMENT C'ÉTAIT À L'ÉCOLE ?

J'AI ÉCHOUÉ LE TEST D'ÉCOUTE.

Le chien savait que s'il parvenait en haut de l'escalier avant les autres membres de la famille, il les tiendrait pour toujours à distance.

«La maison devrait m'appartenir de toute façon», songea-t-il.

«Le vieux désirait qu'il en soit ainsi. J'ai toujours été son favori.»

«Flûte ! songea-t-il, où donc ai-je laissé ma balle ?»

141

PEANUTS

Par SCHULZ

NON, JE PENSE QU'IL ÉCRIT.

Le Chien qui ne fit jamais rien.

«Reste à la maison, disent-ils, et sois un bon chien.»

Aussi, resta-t-il à la maison et fut-il un bon chien.

Puis, il décida d'être un chien modèle et il se mit à aboyer devant tous ceux qui approchaient.

Mieux, il s'est mis à poursuivre les chats des voisins.

© 1999 United Feature Syndicate, Inc.

«Que t'arrive-t-il ?», lui dirent-ils. «Tu étais un si bon chien.»

11-21

Alors, il cessa d'aboyer et de poursuivre les chats, et tous dirent de lui qu'il était un bon chien.

www.snoopy.com

La morale est simple : «Ne faites rien et vous serez un bon chien.»

MARCIE, AU SUJET DE CE LIVRE QUE NOUS DEVONS LIRE, L'AS-TU OUVERT ?

IL A UNE PRÉFACE, UNE POSTFACE, UNE INTRODUCTION, DES NOTES ET UNE BIBLIOGRAPHIE, UN INDEX ET UNE SÉRIE DE CARTES

SONT-ILS DEVENUS CINGLÉS OU QUOI ?

SI NOUS CROISONS QUELQU'UN, N'OUBLIE PAS DE LUI SOUHAITER UNE JOYEUSE ACTION DE GRÂCE.

M'OFFRIRA-T-IL UNE DINDE ?

NON, IL NE TE DONNERA PAS DE DINDE.

SI ON SOUHAITE UNE JOYEUSE ACTION DE GRÂCE À QUELQU'UN, IL DEVRAIT NOUS OFFRIR UNE DINDE.

PARFOIS JE CROIS QUE TU VIS SUR UNE AUTRE PLANÈTE.

OU ALORS UNE TARTE À LA CITROUILLE.

EN RENTRANT À LA MAISON, J'AI CROISÉ UNE FEMME SUR LE TROTTOIR.

J'AI FAIT CE QUE TU M'AS DIT, JE LUI AI SOUHAITÉ UNE JOYEUSE ACTION DE GRÂCE ET ELLE M'A GUEULÉ APRÈS.

ELLE PENSAIT QUE JE ME MONTRAIS SARCASTIQUE.

RENDORS-TOI, IL N'Y A PAS D'ÉCOLE AUJOURD'HUI.

RÉPÈTE DONC ÇA.

RENDORS-TOI, IL N'Y A PAS D'ÉCOLE AUJOURD'HUI.

DES MOTS DOUX À L'OREILLE.

TU AS MANGÉ UN VER EN FAISANT SEMBLANT QU'IL S'AGISSAIT D'UNE DINDE ?

QUI A EU LE PILON ET QUI A FAIT UN VŒU ?

HA HA HA HA

D'ABORD, TU ATTRAPES UN FLOCON AVEC LA LANGUE.

ENSUITE, TU LE PASSES AUX MICRO-ONDES.

DEUX COLAS, S'IL VOUS PLAÎT.

PARDON, MADEMOISELLE, MON FRÈRE VOUDRAIT UNE PAILLE.

11-28

TOUJOURS AUSSI VOYOU, N'EST-CE PAS SPIKE ?

JE ME SUIS LAISSÉ EMPORTER.

JE DEVRAIS OFFRIR CETTE CAPSULE DE BOUTEILLE À LA PETITE ROUQUINE.

SI ELLE COLLECTIONNAIT LES CAPSULES DE BOUTEILLES, ELLE ME PRENDRAIT DANS SES BRAS ET ME DIRAIT : «MERCI ! MERCI ! MERCI !»

UNE COLLECTION DE CAPSULES DE BOUTEILLES ?

© 1999 United Feature Syndicate, Inc.

Cher Pif Noël.

«PIF NOËL» ?

IL SE CROIT BIEN MALIN ET L'ANNÉE DERNIÈRE, IL NE M'A RIEN OFFERT DE CE QUE J'AVAIS DEMANDÉ.

NE GASPILLE PAS TES ATOUTS.

MES ATOUTS ? QU'ONT À VOIR LES CARTES DANS CETTE HISTOIRE ?

© 1999 United Feature Syndicate, Inc.

À PRÉSENT, J'AI OUBLIÉ CE QUE JE VOULAIS ÉCRIRE.

JE PENSE QUE TU FERAIS MIEUX DE NE PAS T'ADRESSER AU PÈRE NOËL EN TE MOQUANT DE SON NEZ.

POURQUOI PAS ? IL A PROVOQUÉ MA COLÈRE L'ANNÉE DERNIÈRE. JE REFUSE DE L'APPELER MONSIEUR NOËL.

TU DEVRAIS Y RÉFLÉCHIR.

PROMIS !

© 1999 United Feature Syndicate, Inc.

Cher Paolo Noël.

148

OUI MADAME, J'AI MARCHÉ JUSQU'ICI SOUS LA PLUIE.

ALORS, MES CHEVEUX TREMPÉS ONT DÉGOULINÉ SUR MON DEVOIR ET L'ONT GÂTÉ.

VOICI POUR VOUS, MONSIEUR ! FÉLICITATIONS !

QU'EST-CE QUE C'EST ?

LE PRIX NOBEL DE FICTION.

NOUS SOMMES CENSÉS DESSINER NOS VISAGES RESPECTIFS.

ALORS TOURNE LA TÊTE. JE NE SAIS DESSINER QUE TON PROFIL.

J'ESSAIE D'ADOPTER L'EXPRESSION DE QUELQU'UN QUI ENVISAGE L'AVENIR AVEC ESPOIR.

ÇA VA. JE DESSINE SEULEMENT TON OREILLE.

ON APPELLE ÇA DE LA NEIGE.

ÇA VIENT DE LÀ-HAUT.

ET PUIS ÇA TOMBE ICI.

NAVRÉ. JE CROYAIS QUE TU VOULAIS UNE EXPLICATION SCIENTIFIQUE.

PEANUTS

Par SCHULZ

ON NOUS ENSEIGNE TROP PEU DE CHOSES.

12-12

DEUX FOIS DEUX ÉGALE QUATRE... TROIS FOIS TROIS ÉGALE NEUF...

© 1999 United Feature Syndicate, Inc.

VOILÀ TOUT CE QUE NOUS AVONS APPRIS AUJOURD'HUI, CE N'EST PAS SUFFISANT.

QU'EN SERAIT-IL SI J'AVAIS QUATRE VACHES ET QUE JE VOULAIS ACHETER À CHACUNE QUATRE SACS DE BOUFFE, COMBIEN DE SACS FAURAIT-IL ? COMMENT LE SAVOIR ?

ON NOUS ENSEIGNE TROP PEU DE CHOSES.

DEUX FOIS DEUX, TROIS FOIS TROIS... ON S'EN MOQUE !

J'AI SOIF DE SAVOIR.

SEIZE.

ET SI J'AVAIS EU CINQ BREBIS ?

www.snoopy.com

JE VEUX ENVOYER UNE CARTE DE NOËL À MON ENSEIGNANTE, MAIS J'IGNORE SON NOM.

COMMENT PEUX-TU IGNORER SON NOM ? NE LUI PARLES-TU JAMAIS ?

LORSQU'ELLE PREND LES PRÉSENCES, QUE RÉPONDS-TU ?

«QUI, MOI ?»

12-16

Un couple et un chien déambulaient dans la neige.

Elle retira l'une de ses moufles et mit sa main dans la sienne.

Il caressa sa joue.

«Tôt ou tard», songea le chien, «l'un d'eux oubliera et laissera tomber la laisse.»

12-17

12-18

LORSQUE TU SERAS PLUS GRAND, JE T'AMÈNERAI À UN GYMNASE BIEN CHAUFFÉ.

ZUT ! NOUS ARRIVONS TROP TARD.

J'AURAIS AIMÉ QU'ILS NOUS CONDUISENT EN VILLE.

MARCIE, JE TIENS LE RÔLE DE MARIE DANS LA SÉANCE DE NOËL. COMMENT DOIS-JE M'HABILLER ?

IL N'Y A PAS DE SÉANCE DE NOËL, MONSIEUR. C'ÉTAIT L'AN DERNIER.

TU RIGOLES ! POURQUOI NE M'A-T-ON RIEN DIT ?

ON TE L'A PROBABLE-MENT DIT À MAINTES REPRISES MAIS TU N'ÉCOUTES JAMAIS.

LES FILLES COMME TOI HAÏSSENT LES FILLES COMME MOI, HEIN MARCIE ?

12-20

AU PIED !

12-21

REGARDE, GRAND-MÈRE NOUS A ENVOYÉ UNE CARTE DE NOËL AVEC UN DOLLAR.

COMME C'EST GENTIL

12-22

RÉGALE-TOI AVEC TES CINQUANTE CENTS.

JE M'EN VAIS AU SALON DE BARBIER DE TON PÈRE, CHARLIE BROWN.

OFFRE-T-IL UN VÉLO MOYENNANT UNE COUPE DE CHEVEUX ?

NON, JE NE PENSE PAS.

LES GAMINS FERAIENT LA QUEUE DEVANT SON SALON S'IL DONNAIT DES VÉLOS.

12-23

DEVRAIS-JE LUI EN PARLER ?

NON, DIS-LUI DE NETTOYER LES CÔTÉS ET DE DÉGAGER LE FRONT.

NOUS DEVRIONS FAIRE DES BISCUITS DE NOËL.

JE NE SAIS PAS FAIRE DE BISCUITS DE NOËL.

JE NE SAIS PAS FAIRE LA CUISINE.

NOUS DEVRIONS PRÉPARER QUELQUE CHOSE.

12/24

QUE DIS-TU DE CÉRÉALES DE NOËL ?

12-25

TU N'AURAIS PAS DÛ SAUTER EN CRIANT : «ABANDONNONS LE BONHOMME DE NEIGE !»